Einaudi Tascabili.
252

Dello stesso autore nel catalogo Einaudi

L'ipocrita
La gente

Vincenzo Cerami
Un borghese piccolo piccolo

Einaudi

© 1995 Giulio Einaudi editore s. p. a., Torino

ISBN 88-06-13631-3

Un borghese piccolo piccolo

Giovanni interruppe suo figlio: «E davvero sei riuscito a rispondere a tutte quelle domande?»

Mario annuí pieno di fierezza.

«È straordinario!» continuò Giovanni mentre dava qualche strappetto alla canna per sentire se il pesce aveva abboccato. «Pensa che bello se avessimo tutti i soldi di quel problema... in un anno potresti farli triplicare!»

Mario si sdraiò sull'erba, guardò il cielo azzurro e lo vide come una lavagna infarinata di gesso.

«I numeri sono una cosa, i soldi un'altra, papà!»

«Mio figlio è ragioniere... il ragionier Vivaldi. Permette che le presenti mio figlio, dottore? La prego!... Il ragionier Vivaldi, il dottor Spaziani, Caposezione, Ufficio Personale, Reparto Pensioni... Molto lieto!...» Giovanni recitò con tono ardito e distaccato e si mise a ridere.

«Farai strada, quant'è vero Iddio... Comincerai proprio da dove sono arrivato io, dopo trent'anni di servizio... e tu hai soltanto vent'anni... Un giovane in gamba per davvero pensa al suo avvenire, a nient'altro che a quello e lascia che gli altri si impicchino».

Giovanni pronunciò quest'ultima frase stringendo le mani intorno alla canna da pesca come se fosse un collo da strangolare.

«... Da domani le cose cambieranno... Col primo

stipendio ci faremo una nuova televisione e tu potrai anche cambiare la macchina... Ormai la ottoecinquanta fa acqua da tutte le parti». Cosí Mario, con l'aria un po' sbruffona, mostrava la sua riconoscenza.

«Pensa a te, solo a te, – gli rispose il padre, seduto sulla cima della sua saggezza. – In questo mondo non hai il tempo di fare sí con gli occhi e no col capo... è il tempo che basta al tuo nemico per pugnalarti alla schiena. Non esitare un momento, vai per la tua strada, non voltarti indietro... Io e tua madre siamo contenti cosí: il nostro unico figlio l'abbiamo fatto diventare un ragioniere. Cosa vogliamo di piú?!... Noi ormai siamo vecchi e quello che vogliamo è morire in pace, con la coscienza tranquilla...»

Mario si rimise seduto e guardò il padre con gli occhi e la stoffa di un uomo intrepido, si commosse e quasi lacrimò.

Giovanni gli gettò un'occhiata e poi, con un mezzo sorriso, gli dette una manata sulla spalla.

Finalmente il pesce abboccò all'amo. Il galleggiante di sughero rosso affondò all'improvviso nell'acqua ferma dello stagno. Il vecchio padre e il giovane figlio saltarono in piedi presi da un intrattenibile tremore.

«Ci siamo», Giovanni si sforzò di nascondere l'emozione, tenendo basso il volume della voce.

Mario invece fece scrocchiare le ossa delle mani muovendosi nervosamente sui piedi.

Era un fario lungo un palmo, muso breve, ottuso, bocca ampia, ben fornita di denti anche sul palato e sulla lingua.

Il pesce balzò su dal pelo dell'acqua e sembrò involarsi verso il cielo; ricadde invece con un sordo tonfo tra le erbacce viscide della riva. Un attimo dopo quattro mani agguerrite lo afferrarono con frenesia e lo gettarono ancora piú verso l'interno, lontano dall'acqua dello stagno. Giovanni intrappolò nella mano la bestiolina impazzita e strinse piú che poteva.

«Un sasso, – gridò il padre al figlio. – Trovami un sasso».

Mario raccolse una pietra e la passò al padre. Questi poggiò il pesce su un ciotolo nel terreno e cominciò a colpire fino a fracassare la testa del guizzante animaletto. La pietra si coprí di sangue, ma il pesce sembrava avere sette vite: quando Giovanni non se lo aspettava piú, ecco che la coda aveva ancora un altro fremito... e allora giú, giú a colpire con quel sasso aguzzo.

Finalmente il pesce tirò le cuoia per sempre.

«È morto?» domandò Mario.

«È morto», rispose Giovanni.

L'amo si era conficcato in fondo allo stomaco del fario e non voleva venir fuori: tira tira, ma niente da fare.

«Si vede che non sei un pescatore professionista», commentò Mario con un sorriso su quelle labbra che sembravano coperte da un leggero strato di peli per lo strano colore bruno che avevano.

«Imparerò!» rispose l'anziano genitore e con uno strappo violento riuscí ad estrarre l'amo da dentro il corpo del pesce. Ma insieme all'amo venne alla luce anche lo stomaco con tutti gli intestini aggrovigliati.

«Ecco, adesso che gli abbiamo tolto la testa e le interiora, non ci rimane che cucinarlo», concluse con troppa severità Giovanni.

La ottoecinquanta si fermò davanti a una baracca di legno, non molto distante dallo stagno. Tutt'intorno si stendeva una campagna esangue, a perdita d'occhio, fino al cielo incupito.

Abituati com'erano, padre e figlio, a riconoscere in città la domenica, lí, in campagna, ebbero strane e vaghe emozioni naturali: niente poteva suggerire loro la giornata festiva, e sapevano benissimo che era domenica...

«Non sembra domenica», disse Mario al padre.

«Eh sí, – continuò Giovanni, – non sembra niente, né domenica né un giorno feriale».

«Si sta bene qui, è vero?»

«Questo lascialo dire a me che sono vecchio!»

Per i due la bellezza del paesaggio non esisteva in sé per sé: trovarsi d'improvviso – in un'ora e in un giorno che di consuetudine trascorrevano in luoghi familiari – davanti a una qualsiasi vista diversa, li poneva come in uno scenario assurdo, pieno di assurde insidie e forse vollero accattivarsi l'ambiente, renderselo amico, farsi perdonare qualche strana colpa, e scoprirono gli splendidi colori del cielo, la leggera brezza, il profumo soave della terra e la pace... la pace sconfinata della natura.

Lasciarono la macchina dietro la baracca e si avviarono col pesce verso la porta d'entrata. Giovanni tirò fuori dalla tasca una mezza chilata di chiavi e aprí dopo una diecina di giri.

Aperte le imposte delle poche finestre, entrò una luce verdognola e tisica a illuminare un enorme stanzone stracolmo di cianfrusaglie, di mobili rotti, di copertoni e di ogni genere di immondizia.

Giovanni si recò subito nel pisciatoio, dietro un paravento di fortuna costituito da una lurida coperta inchiodata sugli infissi di un armadio sfondato.

Mario, invece, andò a gettarsi su una brandaccia mezza arrugginita, su cui era steso un materasso umido e macchiato di muffa. Dette un'occhiata al cadavere del pesce che il padre aveva poggiato su una sedia e poi fissò l'orologio a batteria attaccato al muro, perfettamente funzionante.

Allacciandosi i pantaloni Giovanni si avvicinò all'orologio, lo tolse dal chiodo, estrasse dalla tasca due piccole batterie nuove e le sostituí alle vecchie.

«Quando vai in pensione, papà?» domandò Mario.

«Ci siamo quasi... La pratica sta proprio sul mio tavolino. È lí pronta con tutti i documenti a posto... tutto in regola...»

«Quanto ti daranno di liquidazione?» continuò il figlio.

«Di preciso ancora non lo so... C'è una contestazione in corso... Se passa la nuova legge prima che esco... avrò qualcosa di piú...»

«Ce la farai a trasformare questa baracca in una casa?»

«Spero di farne una casetta come si deve... Piccolina, ma pulita, riposante e confortevole...»

«Pensi che a mamma piacerà di venire ad abitare qui?»

«Ce la porterò a forza di calci nel culo!... Quanto è vero Iddio!»

«Se vuoi, papà, io posso darti una mano... Cosa vuoi che ci faccia io con tutto lo stipendio... e poi sono giovane, non voglio mica sposarmi domani...»

«No... questa casa è mia e solo mia! Ho sudato tutta la vita per farmela... È un po' come una scommessa e devo vincerla! Poi te l'ho detto: pensa a te; i tuoi soldi investili, falli crescere... tu queste cose sai farle... depositali in Banca, compra azioni sicure, i buoni del Tesoro... Pensa a farti una casa a Roma... quello sí che è un investimento serio!... Quando hai una casa non hai paura né delle inflazioni né di niente...»

Parlarono a lungo di soldi, di case e di famiglie che vengono messe su con sacrificio. Dettero fuoco al cassetto di un vecchio comò e si cucinarono il pesce.

Giovanni fece un pisolino di un'oretta mentre Mario camminava su e giú fuori della baracca.

Vivaldi Giovanni e Vivaldi Mario sobbalzando paurosamente all'interno della loro ottoecinquanta abbandonarono il viottolo di terra battuta per immettersi in una larga e asfaltata strada provinciale.

Se non avessero trovato intoppi nel traffico avrebbero fatto in tempo a vedere in televisione l'incontro di calcio delle diciannove e dieci.

Il viaggio fino alle porte di Roma filò liscio liscio; al di là degli alberi sfilarono prima le stalle, i casolari e poi, sempre piú frequenti, qualche casa e delle palazzine.

Roma comparve davanti agli occhi dei due a un semaforo che si colorò di rosso. Da quel punto in poi la vettura si mosse arditamente e prudentemente per le strade della città.

I due riconobbero subito la domenica: i negozi con le serrande abbassate e macchiate di grasso, i portoni dei palazzi beffeggianti come bocche spalancate, le automobili in sosta lungo i marciapiedi come cani imbalsamati, i tram vuoti come bruchi pigri e spauriti, e poi un unico infinito palazzo che attraversava tutta la città diramandosi dappertutto come le spazzole di una testa rognosa.

Quando accesero la televisione, la partita di calcio era appena incominciata. L'audio dell'apparecchio risuonò subito con un urlo di ottantamila persone che avevano appena visto la palla smorzare la sua potente velocità contro la rete inerte alle spalle del portiere.

Apparve l'immagine: stavano mostrando il replay della segnatura: un goal veramente da manuale.

La signora Amalia Vivaldi entrò nella stanza con la

sua solita aria truce, gettò «Cronaca vera» su una sedia e si mise a succhiare dal becco di un fiasco di acqua tiepida.

«Quando farai riparare il frigidaire, invece di stare lí a grattarti la pancia?» brontolò quasi affogandosi la signora Amalia.

«Domani, – rispose il marito senza guardarla, – fammi un panino... ho una fame da lupo».

«Anche a me», aggiunse Mario.

«La cena è quasi pronta», concluse la donna sparendo in cucina.

Alle sei e un quarto del lunedí la sveglia gracchiò appena sul comodino di Giovanni.

«Sai che ho sognato, Amalia?» balbettò ancora prima di aprire gli occhi. Ma sua moglie non c'era, era già andata a preparare il caffè.

Giovanni comparve sulla soglia della cucina stretto nel suo lurido pigiama, si avvicinò alla moglie, le afferrò una mano e la infilò dentro i calzoni:

«Senti qua che roba, – sussurrò fiero. – Ce n'è di carne ancora... eh?!»

«Ma vai a pisciare!» gli soffiò addosso la signora Amalia dopo aver constatato burocraticamente l'erezione del marito.

E mentre lei pigramente si lavava le mani sotto l'acqua del rubinetto, Giovanni le fece il riassunto del suo sogno: un sogno in cui naturalmente Mario aveva il ruolo di primo attore.

Stavano al mare, lui e Mario, c'era la guerra sulla spiaggia, tra Castelfusano e Ostia. Ma come si giravano, alle spalle c'era la cucina, col sugo che cuoceva sul fornello. Arrivò il colonnello che disse a Mario: «Sei un Ufficiale, non puoi badare al sugo; ci starà attento tuo padre, tu vai a combattere!» E mentre Giovanni, tutto fiero, girava il cucchiaio di legno nel pentolino per non far attaccare il ragú, gli arrivava l'eco della vittoria, le grida di «Abbiamo vinto, abbiamo vinto!»

«Ce la farai a farlo entrare al Ministero?» domandò scettica la signora Amalia.

«Ci riuscirò... quant'è vero Iddio. Ho sputato sangue per trent'anni dentro quegli uffici e dovranno ascoltarmi...»

«Ma dovrà fare il concorso!» esclamò la donna, sempre piú scettica.

«Lo vincerà... te l'assicuro! Oggi parlerò col dottor Spaziani... sai che ci diamo del tu, no?!»

«Speriamo!» disse fra sé la signora Amalia versando il caffè bollente nella tazzina colorata con intarsi giapponesi. «Speriamo!»

La ottoecinquanta di Giovanni era parcheggiata di taglio sul marciapiede, davanti a Upim.

Alle otto e mezzo Giovanni doveva essere in ufficio. Il Ministero non era lontano dalla stazione Termini e siccome abitava in fondo al Tuscolano arrivava fino a San Giovanni, di lí faceva piazza Vittorio, costeggiava tutta la stazione, dalle Laziali a Termini e infine dopo piazza Esedra si trovava davanti al Ministero.

Quella mattina non fu per Giovanni come tutte le altre mattine. In genere appena entrava in macchina cominciava a bestemmiare e finiva le imprecazioni soltanto dopo che aveva varcato la soglia del Ministero. Sbraitava contro il traffico, contro i pedoni; premeva sul clacson con furia, distribuiva insulti violenti a tutti quelli che pensava volessero intralciargli la strada; se la prendeva col Comune, con l'Anas, col Governo, con l'Italia, con tutti insomma.

Ma quella mattina se ne stette silenzioso e fece il percorso ordinatamente, senza suonare a destra e a manca, senza urlare, rispettando la segnaletica orizzontale e verticale.

Naturalmente gli altri automobilisti infierirono contro di lui, urlandogli, con facce deformi da scimpanzé, gli oltraggiosi aggettivi del breve ma esauriente vocabolario delle otto e mezzo. Giovanni, cieco sordo e muto, dentro la sua piccola capanna di metallo, non si accorgeva di nulla, non esisteva.

Gli sfrecciavano ai fianchi a tutta velocità diecine e diecine di utilitarie portate da giovanottelli dall'aria delinquente che non esitavano a salire con le macchine sui marciapiedi, a imboccare le carreggiate destinate ai tram e a correre all'impazzata con i clacson a voce spiegata, come se trasportassero feriti all'ospedale di San Giovanni.

L'anziano uomo sentiva la testa confusa: pensava al figlio, pensava al sogno che aveva fatto la notte prima e stranamente gli venivano alla testa alcuni ricordi della sua prima giovinezza. Ma non era poi cosí strano, anche se non gli capitava quasi mai di riflettere su un passato cosí lontano: in fondo ora che pensava concretamente all'avvenire del figlio era abbastanza naturale che fosse invischiato personalmente, con tutte le implicazioni logiche e illogiche.

Giovanni era arrivato alla città tanti, tanti anni prima, ancora prima della guerra, quando aveva abbandonato la miseria della campagna del padre per arruolarsi nell'esercito reale. Girò un po' l'Italia, fece la guerra, si tolse la divisa ed entrò gruppo C al Ministero.

Ora era padre di un figlio nato in città: il ragionier Vivaldi, vent'anni. Tutto quello che si aspettava oltre la stazione ferroviaria del suo paese, ancora molto giovane, era qualcosa di vago e di indefinito; andava, voglia o no, incontro ad una avventura: ma in lui c'era una carica di speranza che gli smorzava sul nascere malinconie e nostalgie della sua terra, della famiglia, della casa dove era nato. In gola gli venne un groppo alla rovescia.

Per Mario era tutta un'altra cosa. Nato in città, non avrebbe dovuto avere alcuna malinconia: tutto era lí, a portata di mano: la casa, la famiglia, l'ufficio, la carriera...

Per un momento Giovanni si sentí fiero, senza sapere bene di cosa. Forse perché nel suo piccolo aveva contribuito lui stesso a creare quella situazione di privilegio per il figlio e anche per tutti i suoi compagni di scuola. Certo, era cosí: erano passati tanti anni e tutti quegli anni non potevano non aver cambiato le cose.

Lui da contadino abruzzese morto di fame era diventato, col tempo, un burocrate del Ministero. Mai come quella mattina Giovanni aveva capito che era veramente invecchiato, ma non inutilmente.

E forse fu proprio per questo che non inveí contro il traffico, contro il Comune, contro la Repubblica. Fu uno di quei momenti in cui un uomo – un uomo come Giovanni – non si riconosce soltanto per quello che è, ma per quello che ha fatto, per quello che rappresenta nel contesto mondiale delle cose, al di fuori del proprio essere.

Quando finalmente arrivò nei pressi del Ministero si mise alla ricerca di un parcheggio: un'impresa che sempre gli portava via una mezz'oretta.

Girò e girò intorno al palazzo, passando e ripassando mille volte davanti ai carabinieri che stavano sul portone d'ingresso, fino a quando, dopo una lite feroce con un collega, riuscí a infilarsi in un buco rimasto libero.

Giovanni uscí dalla ottoecinquanta a fatica, dalla portiera di destra e dopo aver chiuso a chiave gettò l'occhio sull'orologio attaccato al muro di un negozio di oreficeria: erano le otto e trenta suonate. Giovanni partí con una corsa spasmodica, appena preceduta da una soffocata imprecazione.

Davanti all'ingresso i carabinieri gli sbarrarono il passo e scrollarono il viso strafottente. Allora, piano

piano, Giovanni si avvicinò a un gruppetto di colleghi ritardatari che stavano di lato e che, gialli per la rabbia, in quel momento avrebbero dato fuoco alla città.

Un usciere arrivò con penna e carta e fece accomodare i disgraziati in una stanzetta dell'atrio. Incominciò subito l'appello e a ciascuno di loro chiese a quale ufficio appartenevano; alzò il telefono e si mise in contatto con i relativi capiufficio.

A uno a uno poi li fece salire.

L'usciere telefonò anche al dottor Spaziani, ma gli dissero che non era ancora arrivato. Allora, con un gesto magnanimo di generosità, fece salire anche Giovanni, senza annotare il suo nome sul quaderno nero.

Una piccola folla d'impiegati era ammassata dentro il vano di un enorme ascensore, grande quasi quanto una stanza. Si trattava di un ascensore senza porte, di quelli in cui si entra e si esce al volo, che non si fermano mai, ma che per fortuna vanno su e giú con lentezza prudente.

Al quarto piano Giovanni uscí e si trovò in un lungo corridoio appena illuminato qua e là da nude e timide lampadine.

Il corridoio era semivuoto perché tutto il personale del piano faceva mucchio davanti alla porticina dell'usciere che – tollerato bonariamente – preparava il caffè nella sua stanzetta, che accoglieva, con sempre maggiore senso di ospitalità, intere famiglie di piccoli scarafaggi. Lo chiamavano «Toti», un soprannome che gli derivava da Enrico Toti perché – come quasi tutti gli uscieri d'altronde – era mutilato e aveva una gamba di legno.

Giovanni raggiunse presto il gruppo e si accodò. Nessuno aveva fretta, anzi se la prendevano molto comoda: sapevano benissimo che nessun capoufficio avrebbe preteso di far cominciare il lavoro prima delle dieci suonate. I capiufficio infatti – pur facendo casta a sé – se ne stavano raggruppati anche loro tra quelle matasse d'impiegati e non piantavano grane.

I temi principali che i burocrati dibattevano in attesa del caffè erano quelli che Giovanni ascoltava da trent'anni, sempre gli stessi: lo sport, la politica e i fatti di cronaca nera.

Soprattutto questi ultimi accendevano di piú gli animi dei colleghi del Ministero. Accadimenti straordinari avvenivano ogni giorno, da trent'anni. Ogni giorno una strage, una faida tragica di famiglia, crollo di dighe, esplosioni di delinquenza, i suicidi piú atroci erano al centro dei loro animosi discorsi. Tutte le mattine non mancava uno solo di questi argomenti da dibattere: «Per me è stato lui, per me non è stato lui... per me l'assassino è il fratello... l'amante» e via discorrendo.

Alla fine, sempre, prima di chiudersi nei rispettivi uffici, gli impiegati si trovavano d'accordo che l'istituzione di una sana pena di morte avrebbe messo a tacere definitivamente tutta la violenza di questo mondo.

Ecco il Ministero com'era – e Giovanni lo sapeva molto bene – dentro, tra i corridoi e le stanze dell'immenso edificio. Lí non succedeva quello che succedeva fuori. Per esempio, all'esterno, un capoufficio contava di piú, molto di piú di un impiegato qualsiasi. Ma pochi sapevano, invece, che «dentro» contavano soprattutto due categorie di persone: «quelli che avevano una cultura» e «quelli che avevano le conoscenze», fossero capiufficio o uscieri o semplici impiegati. «Chi sapeva parlare», comunque, era la persona che meritava piú stima e rispetto, anche se per campare doveva farsi prestare i soldi a strozzo da qualche collega, di categoria inferiore ma ben organizzato. In quanto piú cinici, quelli che avevano le conoscenze incutevano invece un rispetto diverso, una specie di paura. Ma questi, naturalmente, erano i piú «chiacchierati», quelli che avevano tanti amici in alto e tanti nemici in basso: i piú esposti ai tradimenti. Quelli che sapevano parlare in genere sapevano anche scrivere e allora divenivano i «pupilli» dei capiufficio che si servivano di loro ogni volta che capitava un lavoro fuori dalla routine, come redigere dei rapporti «extra» o mandare delle lettere non ordinarie. Erano disallenati, questa la giustificazione data *en passant* agli impiegati intellettuali.

Gli intellettuali: si potevano facilmente riconoscere perché si muovevano per gli uffici sempre col «Tempo» e il «Messaggero» sotto il braccio o dentro la tasca della giacca. Leggevano il giornale mentre prendevano il caffè, mentre camminavano per i corridoi; se lo portavano appresso quando andavano al cesso e solo dopo averlo letto e riletto, annotavano con le biro agli angoletti delle pagine i loro conti, i bilanci familiari o prendevano appunti d'altro genere.

Giovanni pensava a suo figlio e aveva molte cose da insegnargli: a leggere, per esempio, i quotidiani, a parlare un italiano corretto e possibilmente senza accento dialettale come quelli che leggono il telegiornale; a portare sempre la cravatta, ad esporre con discrezione i suoi principî, senza strafare; a sapersi accattivare la benevolenza dei superiori senza leccare loro il culo, imponendosi per la qualità delle idee, per l'educazione e, soprattutto, per la competenza nel lavoro.

Alle dieci in punto Giovanni entrò nel suo ufficio: una stanza con cinque tavolini, quattro agli angoli e uno davanti alla finestra. Si sedette al suo posto e scomparve dietro una parete di fascicoli accatastati sulla scrivania: mandavano il solito profumo di brillantina solida Linetti. Anche gli altri tavoli traboccavano di fascicoli cosí che i cinque impiegati non si potevano vedere, potevano solo ascoltare le rispettive voci. Ben presto, i tavolini con sopra le pratiche cominciarono a parlare fra loro, con timbri e tonalità diversi. Quello che ognuno faceva era un mistero, potevano mangiare un panino, leggere il giornale o compilare la schedina del totocalcio: nessuno si sarebbe accorto di nulla. Invero compivano il proprio dovere, anche se pigramente; sfogliavano una per una quelle cartelline e controllavano meccanicamente se i documenti previsti dalla legge per avere accesso nell'immenso e privilegiato mondo dei pensionati erano in regola.

Giovanni aveva davanti agli occhi la cartella gialla su cui era scritto a inchiostro, in bella calligrafia, con caratteri maiuscoli, il suo nome e cognome: VIVALDI GIOVANNI. Con soddisfazione risfogliò tutti i suoi documenti e certificati e richiuse il fascicolo con un pizzico di malinconia.

E intanto i colleghi di stanza blateravano e vomitavano la loro rabbia per tutte le ingiustizie di questo schifoso mondo pieno di froci, di comunisti, di drogati e di ministri corrotti.

Alle undici circa Giovanni scese dal quarto al terzo piano e andò come un treno all'ufficio concorsi; bussò e un altro usciere storpio gli aprí.

«Ciao Vivaldi, che vuoi?» gli domandò l'usciere con una strana aria di complicità.

«Vorrei il bando per il gruppo B... sai, mio figlio...» rispose Giovanni con finta noncuranza.

«Tuo figlio?» domandò, fingendo meraviglia, l'usciere.

«Il ragionier Vivaldi, mio caro!» disse Giovanni facendosi largo.

L'usciere gli corse appresso, lo superò, infilò le mani dentro un lungo scaffale e lo percorse a destra e a sinistra raccogliendo con perizia alcuni stampati.

«Ecco qui, prendi questi e poi fatti vivo eh!...» disse l'usciere a Giovanni strizzando l'occhio.

Giovanni uscí senza salutare.

Entrò nell'ufficio del dottor Spaziani con la disinvoltura di chi si muove per casa.

«Ciao dottor Spaziani!»

«Ciao Giovanni, come va?» disse il capoufficio alzandosi.

«Bene, – rispose il subalterno andando verso di lui con la mano tesa lasciando la porta aperta, – ti disturbo un attimo per via di Mario... sai!?...»

«Tuo figlio?... Il ragioniere, no?...» domandò alzando anch'egli il braccio verso Giovanni.

«Vorrei fargli fare il concorso... Ecco, qui ho il bando!» disse Giovanni, sedendosi. Il dottor Spaziani si rimpicciolí nelle spalle e quasi in punta di piedi andò a chiudere la porta.

«Bene, vediamo quello che si può fare... – si espresse il dottore tornando verso la scrivania. – Dammi qui, fammi vedere».

Giovanni consegnò gli stampati nelle mani del capoufficio che li scorse velocemente.

«Duemila posti... ma almeno dodicimila concorrenti, caro Giovanni!... Non è tanto facile come credi!» disse affranto il capoccia.

«Devono prendermelo... Dopo trent'anni che mi sono mangiato il fegato qua dentro...» rispose con un accenno di minaccia Vivaldi.

«Ascoltami Giovanni, – si fece paternale il capo, – la legge è uguale per tutti i giovani... Davanti alla legge i nostri figli sono uguali a quelli di un tassinaro o di un muratore. Che cosa ci vuoi fare?... La legge è fatta cosí!...» finí sempre piú affranto il dottor Spaziani.

«Ma è ingiusto, – replicò furibondo Giovanni. – Ci

sarà pure un modo per assicurare a Mario un posto qui dentro... Dopo tutto il Ministero mi deve trent'anni di sudore pagato quattro soldi...»

«Il Ministero? – cadde dalle nuvole il dottore. – Quale Ministero?! E chi è questo Ministero?... Ascoltami... tu lo sai che ti ho sempre trattato bene... È da tanto tempo che ci conosciamo, non è vero?»

«Ventidue anni, quattro mesi e diciotto giorni», rispose con un mezzo sorriso malinconico Giovanni.

«E allora credimi... Sai bene che tuo figlio deve superare gli esami. Gli esami si svolgono tramite due prove, una scritta e una orale. Insomma, cosí, detto brutalmente: agli orali ci pensiamo noi... ma agli scritti ci deve pensare solo tuo figlio. Lui si preoccupi di superare gli scritti... poi il piú è fatto...»

«E se non li supera?» spalancò gli occhi l'anziano padre.

«Deve farcela!» sentenziò secco il capoufficio. Giovanni sentí la carne staccarsi dalle ossa e afflosciarsi sulla sedia.

«Capisci Giovanni?... Gli scritti vanno depositati in busta chiusa e sigillata e all'esterno non c'è scritto niente, non c'è mica scritto Ragionier Vivaldi!... E solo dopo che è stata espressa la votazione si possono aprire le buste che contengono i nominativi dei concorrenti...» cercò di persuaderlo il superiore.

«Allora non c'è proprio niente da fare? – domandò sconsolato Giovanni. – O supera gli scritti o è fregato... Dodicimila concorrenti sono tanti. È difficile...»

«Non solo, mio caro Giovanni, ma tra quei dodicimila molti sono laureati e sperano di entrare come gruppo B per fare il concorso interno e passare al gruppo A... E capisci... quelli agli scritti vanno proprio forte... sono quasi tutti avvocati...»

Giovanni vide per un momento la stanza girargli intorno vorticosamente, poi si coprí di sudore e cominciò a impallidire.

Il dottor Spaziani si accorse del malore del subalterno e si accostò a lui come per rinfrancarlo.

Ma Giovanni si riprese quasi subito.

«Aiutami, Spaziani... Non ti ho mai chiesto niente in ventitré anni di conoscenza... Ma ora devi fare qualcosa per me, per mio figlio che hai visto nascere...»

Il dottor Spaziani si accese una sigaretta e intanto pensava, scrollò il capo due o tre volte e fissò a lungo il suo interlocutore. Giovanni, senza accorgersi, si tese in avanti sempre piú, fino a ritrovarsi seduto sullo spigolo della sedia. Proprio quando stava per cadere, il capoufficio, con aria severa e volto trasformato, chiese a Giovanni con un filo appena di voce:

«Un tentativo si può fare... ma dipende da te!»

«Cosa?» domandò Giovanni facendosi sempre piú sotto con l'orecchio.

«Hai mai sentito parlare di Massoneria?» gli domandò il superiore con gli occhi un po' mistici.

«Cosí... vagamente», rispose Giovanni.

«Bene... fatti massone», gli ordinò il capoufficio.

«E come si fa?» domandò pieno di speranza Giovanni, che intanto stava riprendendo colore.

«Ci penso io. Tieni, prendi questi», ed estrasse da un cassetto chiuso a chiave tre o quattro opuscoletti con la copertina celeste scolorita ai bordi, vecchie edizioni stampate nei primi anni del dopoguerra. «Leggili con cura e dopo ne parliamo. Ma mi raccomando: acqua in bocca... Leggili e ridammeli. Non farli toccare a nessun altro... se no addio a tutto...»

Il dottor Spaziani si alzò e s'incollò quasi all'anziano protetto, gli spalancò la giacca e gli infilò gli opuscoli sotto l'ascella sudata. Lo accompagnò alla porta: «Ci vediamo domani... Riportami quella roba...»

«Certo, certo!» rispose l'impiegato ritraendosi un po' stordito.

Quando Giovanni lasciò l'ufficio e risalí in macchina per un attimo credette di avere vent'anni.

Si sentiva bene, pieno di energia. Qualsiasi persona che sia fisicamente a posto può veramente credere di avere vent'anni. E per Giovanni fu cosí, anche se la sensazione durò poco. Innestò con violenza la marcia e partí di gran furia, senza guardare avanti, bensí verso due belle e bianche gambe di una ragazzina in minigonna.

Mandò un fischio di apprezzamento, accompagnato da una smorfia e seguito da un lurido insulto. La ragazzina gli spernacchiò dietro e lui rispose con un rutto profondo.

Per tutto quel pomeriggio non vide suo figlio, ma solo la moglie, sempre ghignante e attaccata al fiasco dell'acqua tiepida.

«Bevi troppo, – diceva Giovanni all'Amalia, – un giorno o l'altro scoppierai!»

Se ne stette tutto il pomeriggio seduto dietro al tavolino di formica della cucina a leggere gli opuscoli che pretendevano di spiegargli in poche parole che cosa fosse la Massoneria.

Mario rientrò molto tardi e il padre lo ricevette con due rimproveri, un calcio nel culo e tanti tanti buoni consigli. Primo fra questi, riprendere in mano i libri di scuola e rispolverarsi la memoria per quello che riguardava la contabilità e il diritto. Di lí al giorno del concorso il tempo sarebbe volato via molto in fretta.

Quando sia il figlio che la moglie furono a letto, Giovanni si rimise dietro il tavolino a finire di leggere.

Scoprí con meraviglia che grandi personaggi, morti e viventi, erano stati ed erano dei massoni.

«Toscanini?» si disse aprendo la bocca, diventatagli d'improvviso pesantissima.

Da quei libercoli uscí fuori un tale guazzabuglio di eroi, di cospiratori, di patrioti del Risorgimento, da fargli accapponare la pelle.

C'era il manuale del buon massone, pieno di indicazioni di comportamento e di trucchetti per farsi riconoscere dai «Fratelli»: la mano portata casualmente e distrattamente al cuore, oppure il gesto di infilare il dito nella manica della persona a cui si stringe la mano o altri segni secondo il «grado» del «fedele».

I gradi erano trentatré, come gli anni di Cristo. Tutti quelli che non erano massoni, erano «Profani» e Giovanni ebbe coscienza di essere un profano. In quel mondo che non aveva mai sospettato fosse diviso in profani e fratelli si sentí un inferiore.

In un altro opuscolo era trattato il tema della Fratellanza e del Patriottismo, della Carità e della Nazione. Come era piccolo Giovanni con quel suo meschino problema del figlio e del concorso!

Prima di tutto c'erano la fratellanza umana, la salvezza della Nazione, la purezza dello Spirito.

Un terzo opuscolo spiegava come erano fatte le logge massoniche e vi era anche descritto il rituale d'iniziazione, con tutte le implicazioni tradizionali e i riti simbolici.

Ma fu il quarto opuscolo a eccitare Giovanni: raccontava una serie di episodi veramente accaduti e testimonianze di questo o quel massone. Lesse con avidità in che modo questo o quel massone poté affermarsi nella sua arte e nella sua professione grazie alla fratellanza degli adepti che lo aiutavano perfino a sua insaputa. Insomma uno si trovò ministro, l'altro assessore, senza quasi accorgersi che qualcuno, dall'alto della suprema scala massonica, preparava costantemente il terreno per questa escalation. Tra questi si faceva anche il nome di Benito Mussolini, che poi – a quanto diceva una nota – avrebbe tradito i suoi benefattori.

Sotto l'ultimo opuscolo c'era la «Settimana enigmistica» che Giovanni comprava ogni settimana. La sfogliò pigramente fino a quando gli prese sonno.

Il giorno dopo si presentò davanti al dottor Spaziani con un pacchetto in mano.

«Ecco, ti restituisco quella roba...» disse Giovanni al capo consegnandogli sotto sotto i libretti.

Il dottor Spaziani li prese e li poggiò sul tavolo. Con tono sospettoso gli domandò:

«Allora cosa ne pensi?»

«Non voglio essere piú un profano!» sillabò Giovanni con severità.

«Bene, – gli disse il capo. – E allora prenditi questi altri libri e leggili!» Cosí dicendo si chinò ancora sul tiretto chiuso a chiave, vi infilò dentro il pacchetto di Giovanni e ne prese un altro piú voluminoso e ben legato da uno spago.

«Per questi ti ci vorrà piú tempo, – disse porgendoglieli, – me li ridarai quando avrai finito».

«Ma quando mi inizierete?» domandò timido e riconoscente Giovanni.

Il dottore rispose con celeste autorità:

«Quando sarai pronto a chiedere la Luce!»

Il tempo passò cosí in fretta che a un mese dal fatidico giorno degli esami tutta la famiglia Vivaldi viveva come agli sgoccioli di una vita intera.

La signora Amalia, costretta a spostarsi da una stanza all'altra per accudire i suoi due uomini che sembravano aver scoperto all'improvviso di possedere una casa, accusava insopportabili dolori a quei piedi che i suoi occhi scettici vedevano gonfiarsi ogni giorno di piú fin quasi a scoppiare.

Giovanni e Mario passavano l'intero pomeriggio uno di qua e l'altro di là del tavolino di cucina a studiare.

Giovanni si preparava per l'iniziazione massonica e Mario per il famoso concorso del Ministero.

Quando uno finiva di aver sete cominciava l'altro ad averla e cosí anche per la fame, per il caldo e per il freddo, e per tutti gli altri bisogni.

La povera signora Amalia, cosí, brontolando con una voce ventriloqua, faceva su e giú per la casa una volta con un panino, un'altra con il fiasco del vino, poi con le tazzine del caffè...

Nelle pause si sedeva sulla sua sedia di vimini, poggiava i piedi sopra uno sgabello, mandava giú una litrata d'acqua e leggeva «Cronaca vera».

La signora Amalia si interessava solo delle cose cattive che succedono a questo mondo. Cosí pareva trovare un pizzico di consolazione e di significato in quella vita spenta che, tutto sommato, aveva però almeno il merito – fino a questo momento – di non essere stata sconvolta dalle piú terribili tragedie.

Aveva un carattere scettico e per questo possedeva un illimitato senso di abnegazione. Viveva sotto l'incubo pesante della catastrofe. E ogni ora che passava senza che nulla fosse successo era per lei un'ora faticosamente conquistata.

Il suo giornale preferito era «Cronaca vera», ma le piacevano anche «Stop», «Gente» e «Novella 2000».

Viveva nella convinzione inconscia che dovessero accadere numeri stabiliti di disgrazie a settimana: cosí quando leggeva sui suoi rotocalchi che le disgrazie erano capitate agli altri, per lei era come respirare una boccata d'ossigeno supplementare: anche per quella volta le era andata bene.

Mentre il padre studiava i numeri sacri nella tradizione pitagorica massonica, il figlio prendeva appunti su un quaderno elencando le varie definizioni e interpretazioni in merito agli articoli della Costituzione repubblicana.

Arrivò finalmente il giorno della prova per il padre. L'appuntamento era fissato per le ventuno e trenta nel seminterrato di una casa, nei pressi del vecchio sambuco.

Giovanni indossò l'abito blu della domenica e dei giorni festivi, s'infilò la cravatta piú scura tra quelle poche che aveva, incartò in fogli di giornale i libri massonici, legò il pacchetto con lo spago e fece per uscire. Ma quando fu sulla soglia, esitò un istante; richiuse la porta e andò verso il gabinetto, passando davanti agli occhi impenetrabili della moglie.

Nel cesso girò la chiave e si sedette sulla tazza pensieroso. Sentiva il bisogno di restare solo con Dio, un attimo. Si fece il segno della croce, si pentí e si dolse dei suoi peccati: non poteva nascondersi e tanto meno nascondere al Signore che era capace di intendere e di volere. Intendeva mettere piede nella Loggia e lo voleva, anche se la Chiesa lo scomunicava d'ufficio, senza chiedergli spiegazioni, addirittura senza neanche saperlo.

Ma una certezza assoluta gli restituí forza e speranza e cioè che gli occhi di Dio erano piú grandi di quelli della Chiesa, che Lui vedeva tutto e conosceva le circostanze e le attenuanti di quella sua decisione di apparente sacrilegio... E poi si trattava di una cosa formale, perché negli ultimi tempi la Massoneria non chiedeva piú l'abiura della religione cattolica per la venerazione del Grande Architetto dell'Universo, del triangolo con l'occhio dentro, della squadra, del compasso e via di seguito. Tutti quei simboli non erano, in fondo, che i diversi frammenti dell'unico vero creatore: Dio, quello cattolico, quello di sempre.

Giovanni concluse la sua invocazione a Dio con un altro segno di croce, tirò la catena dello scarico, aprí la porta e, facendo finta davanti a sua moglie di allacciarsi i calzoni, uscí con discreta improntitudine dalla casa.

La Loggia non era molto distante. Dieci minuti di macchina e arrivò.

Era una stradina piccola e deserta. Il numero civico che cercò apparteneva a una vecchia casa tra due palazzoni enormi con tutti gli appartamenti ancora sfitti.

Suonò il campanello come gli aveva insegnato il dottor Spaziani: prima tre squilli, poi una pausa di cinque secondi; altri due squilli con pausa e infine uno squillo dopo dieci secondi. Uno scatto metallico e la porta si aprí come per un atto di magia. Giovanni la spinse lentamente e non vide nessuno. La luce della tromba delle scale era fiochissima e l'uomo si avventurò all'interno un po' brancolando. Dopo due o tre gradini udí il tonfo del portone che si richiudeva alle sue spalle. Nel fondo, dopo un corridoio nero, si aprí un uscio e si disegnò sull'ammattonato una fascia di luce; Giovanni camminò sopra quel vivido tappeto in punta di piedi e con l'anima immiserita dalla timidezza.

Davanti al suo muso comparve quello ingrugnito del dottor Spaziani.

«Che cosa vuoi, Profano?» gli chiese questi con aria minacciosa.

«La Luce», rispose Giovanni in bilico tra l'ardore e l'incertezza.

27

« Allora entra! » rispose il dottor Spaziani facendosi di lato con uno strano sorriso colpevole.

Giovanni mise piede nella Loggia convinto di entrare in un luogo sacro e invece si trovò nell'ufficetto mezzo marcio di uno spedizioniere di modestissima statura finanziaria.

Spaziani lo fece sedere dietro la scrivania dell'ufficio, gli consegnò una penna e un modulo da riempire, poi uscí e lo chiuse dentro a chiave.

Giovanni riempí il modulo con la mano un po' tremante: le solite generalità, la data e il luogo di nascita, la professione, il grado di cultura, le malattie, i segni particolari, la fede religiosa. Dall'altra parte del foglio c'era un questionario che Giovanni compilò con una certa difficoltà: che cosa intendesse per Libertà, per Fratellanza; quale definizione ritenesse valida della parola Patria; quale fosse il compito dell'Uomo, quali le ragioni profonde della richiesta della Luce.

Giovanni scrisse affidandosi a quel poco spirito massonico appreso nell'affrettata lettura dei testi, e al proprio buon senso, il senso di un uomo onesto e normale.

Una nota a fondo pagina avvisava comunque che quelle risposte erano soggette a rettifiche in sede di rituale.

Riempite le due pagine del foglio Giovanni rilesse le risposte con molto zelo, preoccupato come era di aver fatto degli strafalcioni sintattici o peggio grammaticali. Verificò la forma e la punteggiatura. Posò la penna e attese.

Quando il dottor Spaziani ricomparve nella stanza per gli occhi di Giovanni fu come la morte in persona. Gli veniva incontro con una spada in una mano e una lunga benda nera nell'altra. Intorno al collo aveva un collare di stoffa tricolore con un pendaglio di ferro infilato come una pistola in una sorta di paravanti nero sul quale era stampata l'immagine di un teschio che digrignava i denti.

Il dottor Spaziani, senza dire una parola, in preda a una esaltazione mistica, raccolse da sopra la scrivania il foglio compilato da Giovanni e lo infilzò con la lama della spada, poi si dispose alle spalle del profano e gli coprí gli occhi con la benda nera.

«Vieni con me, Profano!» gli ordinò con disprezzo.

I due uscirono dall'ufficio e si inoltrarono per un lungo corridoio. Giovanni procedeva con una mano appoggiata sulla spalla del superiore, soffocato dal vuoto immenso delle tenebre. Quando arrivarono davanti a una porta chiusa Spaziani bussò tre colpi.

«Chi è?» domandò qualcuno dall'interno.

«È un Profano che chiede la Luce!» rispose a tutta gola il dottor Spaziani.

«Alle armi, – rispose la voce, – entra uno sconosciuto». Si udí un coro di spade sfoderate.

La porta si aprí e Giovanni fu condotto nel Tempio.

Dentro c'erano una quarantina di persone incappucciate, tutte col paravanti allacciato al grembo e la spada stretta nel pugno. Erano disposti lungo tre pareti di un camerone semidivorato dall'umidità.

Addossato a un muro c'era una specie di altare con un candeliere a sette braccia, una Bibbia aperta con sopra un compasso arrugginito. Il Trentatré, insomma il Capo, stava in cima a un baldacchino di legno, in piedi con il libro del cerimoniale fra le mani. Spaziani allungò verso di lui la spada e gli consegnò il modulo riempito a penna da Giovanni. Il Trentatré ordinò a uno dei suoi sudditi, che aveva il compito di Primo Sorvegliante, di verificare che il Profano fosse ben bendato. Un ometto claudicando si avvicinò a Giovanni e controllò i nodi della benda intorno agli occhi.

«Tutto a posto», disse al Venerabile il Primo Sorvegliante.

Allora, dopo altri convenevoli, il Venerabile Trentatré cominciò a leggere dall'inizio le leggi ferree della Massoneria: la Fratellanza, l'Omertà, l'Amor patrio; i Doveri, i Diritti e le Spietate Condanne contro i Traditori.

Dopo la lunga tirata che il Capo lesse con la stessa velocità del prete che legge il Messale, iniziò il secondo tempo della cerimonia: le risposte agli interrogativi massonici.

«Che cos'è per te la Libertà?» il Venerabile domandò a Giovanni.

Giovanni non capí che la domanda era stata posta a lui e non rispose. Se ne stava lí come un pupazzo, impalato, in piedi con la benda davanti agli occhi, tra un gruppo di uomini incappucciati.

«Vivaldi Giovanni! – indispettito il Trentatré ripeté. – Cosa intendi per Libertà?»

Giovanni ebbe un sussulto e rispose con le prime parole che gli vennero alla bocca, le pronunciò balbettando come se la testa fosse stata d'improvviso costretta ad annaspare dentro un dizionario con troppe parole.

«La Libertà. Dunque, per me la Libertà è fare quello che mi pare... È essere libero. È... È... È libertà di stampa e di pensiero... È... come posso dire?!... È una bella cosa... Peccato che ce ne sia troppa!»

Il Trentatré lo interruppe. «E che cos'è per te la Fratellanza?»

«La Fratellanza è, – riprese Giovanni, – è l'amore per gli altri, il rispetto, la generosità dei sentimenti... È...»

Il Venerabile lo interruppe ancora:

«Cosa devi a te stesso e cosa devi alla Nazione?»

«Nulla devo a me stesso, – rispose con sicurezza Giovanni, – ma tutto devo alla Nazione, al mio Paese, alla Patria... la mia vita e il mio operato è tutto dovuto per il bene comune del mio popolo... Prima di me viene l'Italia...»

Giovanni riuscí quasi a strappare l'applauso. Il Venerabile e gli altri massoni si commossero e guardarono verso il dottor Spaziani, attraverso i buchi di quei loro cappucci neri, con espressione di felicitazione.

«Sai quali terribili prove ti aspettano, o Profano, perché tu possa accedere alla Luce?» domandò il Venerabile a Giovanni.

«Sono pronto per qualsiasi prova», rispose con fiero ardimento Giovanni.

«Sono tre, – disse il Capo con tono burocratico, – la prova del Fuoco, la prova del Sangue e la prova della Morte... Sei disposto ad affrontarle?»

«Sono pronto, anima e corpo», rispose Giovanni, ricordandosi perfettamente la risposta corretta, letta su uno degli opuscoletti qualche sera prima.

«Bene, si proceda...» ordinò il Venerabile al Secondo Sorvegliante.

Il Secondo Sorvegliante si avvicinò a Giovanni e gli sussurrò con accento romanesco:

«Sta' fermo, niente paura... è una cosa simbolica...»

Estrasse dalla tasca l'accendisigari e, dopo due o tre tentativi andati a vuoto, riuscí ad accenderlo; avvicinò la fiammella alle mani di Giovanni e subito la spense.

Giovanni non si accorse di nulla.

«Venerabile Trentatré, – disse il Secondo Sorvegliante rivolgendosi al Capo, – il candidato ha brillantemente superato la prima prova».

«Si proceda allora con la seconda prova», ordinò il Trentatré dall'alto della sua tribuna.

Il Secondo Sorvegliante appoggiò la punta della

spada contro la pancia di Giovanni e spinse un po'. Giovanni non si spostò di un millimetro.

«Venerabile Trentatré, – disse il Secondo Sorvegliante, – il candidato ha brillantemente superato la seconda prova».

«Si proceda dunque con la terza prova».

Era la prova della Morte: Giovanni doveva mostrare di essere pronto a morire se questo estremo sacrificio gli fosse stato richiesto dalle autorità massoniche. Ma trattandosi di un rituale simbolico, invece di bere un nauseabondo e potentissimo veleno, doveva avere il coraggio di mandare giú un bicchierino di Amaro Averna. Il Secondo Sorvegliante, infatti, versò in un bicchierino un po' di digestivo e lo mise in mano a Giovanni.

«Bevi!» gli ordinò secco.

Giovanni mandò giú tutto in un sorso.

«Venerabile Trentatré, – disse il Secondo Sorvegliante, – il candidato ha brillantemente superato pure l'ultima prova».

Si passò quindi alla terza e ultima parte del cerimoniale.

Il Grande Maestro, dopo essersi complimentato per il coraggio e l'ardimento del candidato fratello, emise le ultime paternali sentenze, ripetendo fino all'ossessione che il fratello massone conta piú di un fratello di sangue, che tutto si deve al fratello massone, come tutto si deve pretendere da lui, ecc. ecc.

Giovanni pensò al figlio, alla sua carriera presso il Ministero e, perché no, anche alla sua iniziazione massonica, lui, ragioniere, cosí colto, cosí in gamba, che aveva studiato... certamente al suo posto avrebbe fatto una figurona lí dentro.

«Tutto si deve al fratello massone, come tutto si deve pretendere da lui». Ma che aveva da dare Giovanni? Niente. E invece aveva molte cose da chiedere. Come mai proprio lui era stato insignito di cosí tanto onore, lui che poteva veramente dare cosí poco ai fratelli e che poteva chiedere cosí tanto? Il dottor Spaziani si rivelò all'animo di Giovanni un sincero grande amico, di quelli che solo nei momenti importanti mostrano la loro amicizia profonda, disinteressata. Invero Giovanni si rese conto, d'improvviso, di aver tenuto da conto per tanti e tanti anni un bene prezioso e immutabile, non un semplice amico ma una certezza, una sacrosanta verità.

«Bisogna proprio che gli faccia un bel regalo... magari alla signora... una cassetta di liquori...» pensò Giovanni proprio quando il Grande Maestro gli ordinò di baciare la Bibbia e di giurare fedeltà illimitata alla Massoneria.

Il Primo Sorvegliante gli porse la Bibbia e Giovanni la baciò. Poi il Grande Maestro si alzò in piedi e pronunciò la formula del giuramento.

Giovanni ripeté parola per parola fremendo per l'emozione.

«Giuro fedeltà alla Massoneria Universale di Rito Scozzese Antico ed Accettato!»

«Si spengano le luci!» gridò il Venerabile.

Il Primo Sorvegliante andò all'interruttore e la stanza cadde di colpo nel buio: rimase accesa in un angolo una candela, piegata come un mendicante.

Il Secondo Sorvegliante si avvicinò a Giovanni e gli liberò gli occhi dalla benda.

Giovanni se ne accorse appena perché quando riaprí gli occhi vide la stessa cosa che vedeva quando li teneva chiusi e cioè uno strano nero nel quale avvenivano silenziose esplosioni di colori scuri.

«Sei ancora in tempo a tirarti indietro. Vuoi ancora

33

la Luce? Ne sei sicuro? Bada che poi non potrai farlo piú!» avvisò il Trentatré con voce catastrofica.

«Voglio la Luce!» rispose enfatico Giovanni.

La luce venne riaccesa di colpo e Giovanni si sentí oppresso, in trappola: tutta quella gente incappucciata, con la spada in mano e il paravanti; il Venerabile Grande Maestro, il Trentatré, lassú in alto, anche lui incappucciato; le scritte in greco e in latino sulle pareti; il Grande Architetto dell'Universo, col suo occhio illuminato, nel triangolo contro il baldacchino ricoperto da un panno nero e rosso.

Tutto gli appariva come in un sogno, il frutto di un sonno agitato e oscuro. Cercò d'istinto il dottor Spaziani, ma non lo vide: era uno di quei tanti sconosciuti dai volti ignoti, era lí in mezzo, forse in fondo alla sala, nascosto dietro agli altri, sotto uno di quei cappucci neri.

Il Grande Maestro lo avvisò ancora, gli ripeté che poteva ancora tirarsi indietro, che ne aveva il tempo e che dopo sarebbe stato troppo tardi. Giovanni ebbe un attimo di esitazione, non perché il suo animo esitasse, ma perché sentiva quell'oppressione al petto e non ce la faceva a pronunciare parole.

Finalmente riuscí a muovere le labbra, le parole gli uscirono dalla bocca rotolando con esausta inerzia.

«Voglio la Luce!»

Allora ecco che i presenti si tolsero i cappucci e mostrarono le facce variopinte, di tutte le età, di tutte le stature, di tutte le dimensioni.

Giovanni arrossí e scrutò, prima con un occhio e poi con l'altro come una gallina, attraverso il lampeggiare d'argento delle pupille restituite d'improvviso al reale, quei figuri anonimi.

«Toti!» esclamò quasi con le lacrime riconoscendo per primo tra i presenti l'usciere del suo ufficio. «Toti... tu? Oh come sono contento! » e andò ad abbracciarlo. E poi ancora:

«Giovannetti... anche tu?... e Proietti... e Rossi... e Arcari... Ma ci siete proprio tutti!...»

Un collega si avvicinò a Giovanni e lo baciò, poi gli disse:

«Guarda, guarda, fratello, chi c'è anche... indovina!...»

Si fece avanti Mariannini, un impiegato intellettuale col «Tempo» sotto il braccio...

«Mariannini...» sussurrò Giovanni, asciugandosi una timida lacrima uscita dall'angolino dell'occhio.

«Mariannini... anche lei qua?... Ma c'è tutto il quarto piano!...»

Mariannini, con la sua aria compunta e vissuta, gli diede un colpetto sulla spalla.

«Caro Vivaldi, tra fratelli ci si dà del tu... Chiamami pure Giuseppe...»

«Giuseppe...» ripeté tra sé Giovanni, facendosi forza per non svenire.

Il Trentatré scampanellò furiosamente e ordinò contegno. Impose a Giovanni di mettersi prono a terra e di rendergli onore. Giovanni eseguí con uno slancio quasi giovanile. Si gettò a terra e baciò tre volte il pavimento. Poi si sollevò in ginocchio e a lui si avvicinò il dottor Spaziani.

«Ecco, adesso tu occupi il primo grado e ti auguro una fiorente carriera...» gli disse l'amico piú amico di tutti.

«Grazie, grazie, grazie...» finiva in un soffio Giovanni.

Il Grande Maestro scese dal suo pulpito e andò a poggiare una spada preziosa sulla testa e sulle spalle del neomassone, nominandolo Fratello della Loggia

Massonica di Rito Scozzese intitolata all'Eccelso, Glorioso, Venerabile Arturo Toscanini.

«Toscanini...» si disse Giovanni cantando dentro di sé qualche nota confusa della *Traviata*.

Prima che la seduta fosse chiusa, passò il Grande Limosiniere a raccogliere le offerte tra i presenti. Ognuno di loro era obbligato ad immergere la mano nel sacchetto di velluto nero del Limosiniere, ma non erano obbligati a metterci soldi. Giovanni si alzò, sprofondò le mani in tasca e contò, col tatto dei polpastrelli, trentacinque lire; strinse i soldi in pugno e quando il Limosiniere si fermò davanti a lui, come tutti gli altri affogò la mano nell'imboccatura nera e vi lasciò cadere il suo obolo.

Il sacchetto dell'elemosina giunse al traguardo, davanti agli occhi severi del Trentatré. Questi lo vuotò e contò a voce alta. Quella sera la Loggia racimolò tremilasettecentoventicinque lire, un biglietto del tram e qualche grammo di tabacco.

Il Grande Maestro gettò uno sguardo significativo e furioso all'assemblea, ma non disse niente. Gli adepti si guardarono fra di loro, ognuno rimproverando, con gli occhi, quello che gli stava accanto.

Il Grande Maestro, con un gesto autoritario, ma fraterno, fece segno all'Oratore di pronunciare l'Accoglienza al neofratello.

«La Massoneria, come il Cristianesimo, – esordí di colpo un ometto occhialuto alzandosi ritto in piedi e infilando con una bella sbracciata la mano nella tasca dei calzoni, – è dottrina a carattere universale. Entrambe tendono allo stesso fine: il bene dell'Umanità. Il Cristianesimo, attraverso il tempo, modernizzandosi, ha perduto parte di quella purezza ch'era originariamente nel pensiero e nelle virtú evangeliche. La Massoneria, invece, continua la generosa tradizione realizzando gli idiomi di virtú e di libertà attraverso la vita operante della fratellanza. Ragioni filosofiche e morali altissime sono nella sua dottrina che, sorta dal prodigioso affermarsi dell'umanesimo, attraverso l'idea civile che fu anche di Dante, realizzandosi nella spontaneità dell'affratellamento, vive tuttavia per l'affratellamento degli uomini di "buoni costumi", e compie funzione spirituale e sociale quando la potenza del sapere si mesce con quella della bontà fraterna e produce quella grande forza morale che ha decisa influenza nel progresso della vita sociale e politica universale per quella stessa attrazione da cui Spencer traeva le basi del suo sistema filosofico: l'Evoluzione».

Tutti ascoltavano con i colli allungati, come se avessero le teste agganciate con uno spago al soffitto.

«Per la Massoneria ogni sentimento debole è viltà, ogni arbitrio è delitto. Aborre la violenza e il disordine perché, legalitaria e egualitaria, nella sua concezione, aspira alla perfettibilità. Il simbolo del compasso in questo senso è chiaro: esso esprime le leggi del diritto come un punto geometricamente fisso in cui l'angolo si ingigantisce o si impicciolisce per stabilire la maggiore o minore superficie volendo indicare cosí che l'uguaglianza va intesa come applicazione uniforme del mezzo egualitario (il diritto) e non "come amalgama del tutto" in senso assoluto, dovendosi tutelare con eguale, dico eguale mezzo il diritto sul poco, come quello sul molto. Per la Massoneria l'eguaglianza va intesa quindi in senso contrario rispetto al comunismo: ognuno ha un suo dovere e un suo diritto su ciò che è suo, doveri e diritti che nella naturale proporzionalità armonizzandosi producono il progresso del tutto. L'eguaglianza non è un assoluto ed allora la Massoneria come la Chiesa Cattolica è nel vero nell'antiutopistico "unicuique suum"».

Gli astanti guardavano l'oratore come i fedeli che ascoltano il prete in chiesa, quell'ometto occhialuto, il professore – lo chiamavano tutti cosí – l'intellettuale, col colletto della camicia senza le stecchette, i gomiti della giacca sdruciti, i capelli lisci e unti sulla fronte.

Dentro la Massoneria, anche lí, le persone intelligenti e preparate, per la loro connaturata incapacità ad affrontare le cose pratiche e pedestri, sono figure di secondo piano, tutti con quell'aria di leccaculi, che non meritano. E poi, chissà perché, puzzano quasi sempre, come se anche l'acqua fosse per loro degradata a terrena sporcizia. Un uomo come lui, che aveva letto tanto, che conosceva il latino e forse anche il greco, che si intendeva di filosofia e di tante altre cose belle che potevano capire ancora in pochi: tutti lo invidiavano, ma nessuno avrebbe voluto stare nei suoi panni.

Finirono per ascoltare con scrupolosa attenzione e cercarono di inseguire i discorsi rocamboleschi dell'oratore senza piú guardarlo, trasformandolo in realtà in una specie di megafono che manda la voce grazie a una serie di valvoline e circuiti elettrici complicati e incomprensibili, da trattare con prudenza perché potrebbe dare la scossa.

«Platone... – riesplose il professore, dopo aver mandato giú mezzo bicchiere d'acqua, – Platone, cui stavano a cuore le sorti del genere umano, avvertiva, nella sua Teoria dello Stato, che gli uomini sarebbero piú felici se governati se non da filosofi, almeno da uomini che si intendano di filosofia. Egli accennava implicitamente al pericolo e al danno dell'"Empirismo". Ma ecco che questa piaga – anche se egli non poteva prevederla nei suoi sviluppi piú tragici – sopraggiunse insieme con tutti gli ambigui ideologismi che costituiscono un attentato, oltre che alla ragione ed al progredire, a quella saggezza che è il presupposto della dottrina massonica. Ecco perché noi detestiamo gli "industriosi" di utopie che avviliscono la Patria e, promettendo alle turbe irrealizzabili beni, ne turbano la coscienza».

A questo punto l'oratore puntò l'indice verso Giovanni con aria ammonitrice.

«Fratello, è quasi mezzanotte e a mezzogiorno sono cominciati i lavori...»

Istintivamente Giovanni guardò l'orologio, ma tutti gli sorrisero, con maggiore o minore disprezzo, qualcuno gli soffiò dietro al collo:

«Si fa per dire, è un simbolo...»

Giovanni si ricordò quella storia del Mezzogiorno e della Mezzanotte che aveva letto in uno dei libri del dottor Spaziani, e arrossí. Ma l'oratore, nonostante la sua statura morale, mostrò una notevole tolleranza ed ebbe un sorriso gentile sulle labbra. Poi riprese.

«Fratello, hai soltanto tre anni (i tre anni massonici). Sei al primo gradino, a quello dei liberi muratori e ti accogliamo come una amorevole famiglia accoglie un neonato. L'unico augurio è che tu possa fare molta strada nella carriera massonica; l'unico consiglio: obbedisci ai doveri della Fratellanza, essa è come luce incorporea, che raggiando dallo stesso oggetto offerto all'umana osservazione, ne palesa piú bella e piú cospicua la verità per l'elemento integratore che la anima: la Virtú».

Un applauso strano e sordo si diffuse immediatamente per la saletta: i massoni battevano soltanto le palme delle mani senza far incontrare le dita – un'altra cosa che Giovanni aveva lí per lí dimenticato di aver letto.

Il Venerabile Trentatré dichiarò chiusi i lavori e tutti

cominciarono a slacciarsi i paravanti e a togliersi i fronzoli di dosso.

Giovanni tutto sommato si era comportato bene e ricevette gli auguri personali del Grande Maestro, del Professore e dei Sorveglianti, tutti ormai in borghese. Fratello di qua, fratello di là, Giovanni era diventato uno di loro, aveva sepolto per sempre la sua profanità.

Ma una punta d'angoscia tormentava come un foruncolo l'animo di Giovanni: come mai si era deciso soltanto ora a entrare nella Massoneria? Se avesse fatto piú attenzione a quello che gli succedeva intorno, già da un pezzo si sarebbe infilato là dentro, tra tutti quei colleghi e quei fratelli che ora amorevolmente lo circondavano.

Tre anni. Aveva solo tre anni, alla sua età. Fare carriera incominciando cosí tardi? Era meglio lasciare cadere ogni illusione, quello che importava era di stare tra amici che gli volevano bene e che erano disposti ad aiutare lui e soprattutto suo figlio.

Sí, Mario, suo figlio: si riprometteva di fargli ben presto mettere piede nella Loggia. Ma prima voleva fare un po' d'esperienza in modo da potersi muovere con maggiore scioltezza.

Terminata la cerimonia di Iniziazione, era di prammatica l'Agape: uno spuntino alla trattoria piú vicina a base di pastasciutta e molto vino.

Mentre in una somma confusione, i massoni stavano cercando allegramente di contarsi per l'Agape, un giovanottello mezzo scalcinato si avvicinò con l'aria di uno zingaro a Giovanni e lo prese un po' in disparte. Giovanni lasciò fare incuriosito dai modi del ragazzo.

«Senti fratello, scusami se ti disturbo... Sai, se per me non fosse importante non ti darei noia proprio adesso. Il fatto è che io faccio il pittore e non lavoro da tre mesi. Mia moglie sta incinta e ha una fame che si sta mangiando i mobili di casa... Non avresti per caso mille lire?»

Giovanni si scostò istintivamente e fece per allontanarsi, fingendo di essere chiamato da qualcuno. Ma il giovane gli si mise alle costole e senza dargli pace lo riprendeva per la giacca, gli si attaccava alla manica, gli passava da una parte all'altra mentre lui si metteva in mezzo ai colleghi d'ufficio salutando uno, baciando un altro, come un bambino alla prima comunione.

«Auguri Vivaldi... Complimenti!... Siamo proprio contenti di averti qui fra noi... E tuo figlio?... Che fa?... E tua moglie come sta, bene?...»

«Allora? – incalzava sotto l'orecchio di Giovanni il giovanotto. – Le mille, me le dai o no?...»

La gente intanto aveva cominciato a uscire e si affollava davanti alla porta; Giovanni si liberò dallo zingaro con uno strattone del gomito e si pose in fila dietro agli altri, accostandosi al dottor Spaziani.

«Grazie, grazie Spaziani... grazie».

Giovanni, dimentico del questuante attaccato come una sanguisuga, non riusciva a trovare la misura dei suoi gesti nel ringraziare il benefattore: sentiva l'impulso di baciargli una mano, ma si trattenne; avrebbe almeno voluto abbracciarlo e stringerlo forte a sé, ma non lo fece. Si limitò a posargli una mano sulla spalla per non farselo scappare via. Respirò una profonda boccata dei vapori della brillantina solida Linetti che venivano dai capelli del capoufficio, lo stesso profumo dei fascicoli che ogni giorno si ammucchiavano sul suo tavolo. Quell'odore lo aveva accompagnato nella sua pacata carriera di burocrate del Ministero, ufficio pensioni.

Tutto gli era familiare, in quella Loggia, come inventato apposta per lui, quasi cucito addosso, cosí candidamente creato per non procurargli traumi. Perfino il profumo della brillantina del capoufficio. Lí poteva trovare il conforto degli amici e la forza di una logica ostinata, tesa al risanamento delle idee e al ritrovamento della Giustizia.

Giovanni sentiva tutto questo in un segreto profondo senso di benessere, una sorta di purificazione dei sentimenti.

Il giovanotto si fece di colpo piú aggressivo: afferrò Giovanni per un braccio e se lo trascinò lontano. Giovanni ebbe un moto di rabbia, sul volto gli si disegnò una sinistra linea trasversale, lo squarcio di una maschera di cartapesta piegata in due e raddrizzata.

«Senti, fratello, ti ho detto che ho bisogno di soldi... Dammi mille lire...» ordinò il giovanotto a denti stretti.

Giovanni guardò il morto di fame dall'alto in basso e gli disse con l'aria di un frate francescano:

«Non ce l'ho!»

Il giovane, come un tric e trac di carnevale, esplose saltando e urlando con tutta la voce.

«Non vuole darmi mille lire... Fratelli, fratelli...»

La gente che era già uscita, richiamata da quelle grida, rientrò tutta dentro e fece cerchio intorno al giovanotto e a Giovanni.

«... Gli ho detto che mia moglie è incinta, che sono disoccupato da molti mesi e che ho tanto bisogno di soldi... E lui niente, non ha voluto darmi le mille lire che gli ho chiesto!... Che razza di fratello è questo?»

Il Trentatré, i Sorveglianti, il Limosiniere, l'Oratore, il dottor Spaziani e tutti gli altri guardarono senza espressione Giovanni in un silenzio tremendamente minaccioso.

Giovanni divenne rosso: pareva dovesse prendere

fuoco da un momento all'altro. Dalla smorfia delle labbra piegate non riusciva a venir fuori nemmeno un soffio.

Il giovanotto inveí ancora.

«L'unica prova vera non l'ha superata... Le prove del cerimoniale erano tutte simboliche, ma questa, questa delle misere mille lire non l'ha superata: è facile bere l'amaretto invece del veleno, ma per il nostro fratello è difficile aiutare un altro fratello che ha bisogno di mille lire».

Giovanni si sentí venir meno, avvertí l'istinto profondo di strangolare lí, davanti a tutti, quel miserabile pezzente che lo stava mettendo alla berlina di fronte ai colleghi e ai superiori.

«Non ce l'ho! – riuscí a partorire dalla bocca Giovanni insieme con un rigurgito che stava per soffocarlo. – Per la fretta ho lasciato a casa il portafoglio... Se il signore mi accompagna a casa gli regalo piú di mille lire, gliene do duemila...»

Tutti continuavano a guardarlo senza ascoltare le sue parole.

«... Duemila e cinquecento... tremila», rialzò nel silenzio.

Il giovanotto senza fiatare si gettò su Giovanni e in un lampo gli pescò il portafoglio nella tasca interna della giacca. Quando lo ebbe ben stretto in mano, lo mostrò gonfio di soddisfazione ai presenti.

Giovanni, che si era lasciato perquisire ingessato da una paralisi, restava fermo, con la carne incollata al suo vestito piú bello.

Dentro al portafoglio c'erano tremila lire.

«Non sono mie, le devo dare al meccanico domani mattina perché oggi mi ha cambiato il carburatore del-

43

la macchina... Lo giuro su Dio! Non sono mie, è cosí, credetemi! »

Giovanni si sciolse in lacrime e singhiozzò generosamente.

Il portafoglio con le tremila lire gli fu rigettato addosso da qualcuno, poi, con il baldo giovanottello in testa, i massoni in fila lasciarono silenziosamente la Loggia.

Giovanni raccolse il portafoglio, se lo mise in tasca e si guardò intorno, vedendo soltanto una nebbia confusa pullulante di oscuri fantasmi.

Gli si avvicinò il dottor Spaziani e lo fissò colmo di delusione. Lo fissò negli occhi. Giovanni piegò il viso. Spaziani sollevò in alto la sua mano profumata di brillantina e la scaraventò con tutta la forza sul viso di Giovanni. L'uomo barcollò paurosamente, mentre l'eco dello schiaffo risuonò a lungo ai quattro angoli alti della sala.

Il dottor Spaziani uscí e dopo qualche minuto Giovanni lo seguí.

La notte era serena e la luna piena. Tranne alcuni massoni che avevano problemi familiari, gli altri lasciarono le macchine parcheggiate dov'erano e si avviarono insieme lungo il marciapiede che li avrebbe portati dritti all'Agape, in una trattoria sbilenca famosa per le olive nere e il salame secondigliano.

Giovanni era solo in coda a tutti, e non sapeva che fare. Doveva andare anche lui? Oppure l'avventura meravigliosa era già finita? Intanto che rifletteva la distanza dai fratelli si faceva sempre piú scoraggiante. Infilò meccanicamente la mano nella tasca dei calzoni e tirò fuori le chiavi della ottoecinquanta. Fece due passi verso la macchina ma un ometto gli si accostò.

«Da che parte vai?» gli domandò il professore arrivandogli con gli occhiali fin sotto il naso.

«Abito qui vicino... Ma se volete, professore, posso accompagnarvi a casa!...» disse Giovanni, sperando forse che l'Oratore, un uomo della Loggia cosí importante, avrebbe potuto intercedere in suo favore testimoniandone la sperimentata generosità; sempre che la sua situazione potesse essere risanata!

Quale occasione migliore: loro due soli in macchina e Giovanni pronto a mostrarsi magnanimo e a giustificare la manchevolezza nei confronti del fratello bisognoso. Il professore lo avrebbe senz'altro capito e avrebbe constatato di persona la sua disponibilità.

«Lo porterò al bar e insisterò che prenda un caffè o qualcos'altro, quello che vuole, magari un cognacchino...» pensò Giovanni mentre faceva con la mano un ampio gesto per far accomodare il professore in macchina.

«Ma non vai all'Agape?» chiese il professore a Giovanni dopo averlo riconosciuto da dietro le sue lenti torbide.

«Debbo andare? – chiese Giovanni di rimando. – Dopo quello che è successo?»

«Ma certo che devi andare, tu ormai sei un fratello e fino a quando non vieni messo in sonno...»

«... in sonno?» ripeté e chiese Giovanni.

«Sí, insomma, se non vieni liquidato, con un processo regolare, nessuno può sbatterti fuori».

Giovanni ebbe un sospirone di sollievo.

«Non prendertela per quello che è successo! Molti altri hanno avuto un inizio turbolento, ma poi, nel tempo, si sono rivelati i piú generosi e i piú devoti. Vai, vai anche tu all'Agape, non preoccuparti per me. Io vado a prendere il tranvetto all'angolo. Vai, sicuramente i fratelli avranno già dimenticato tutto. Quando ti vedranno entrare nella trattoria saranno contenti e fieri della tua forza d'animo. Vai, vai...»

Giovanni sentí le forze rimontargli piano piano. Vide il professore allontanarsi e scomparire nel buio. Si fece coraggio e raggiunse l'angolo del palazzo, dietro cui si erano dileguati i massoni.

Quando Giovanni comparve sulla porta della trattoria, i suoi ex amici si stavano accomodando intorno a un tavolone che il padrone aveva apparecchiato già dal pomeriggio.

I massoni lo videro e, stranamente euforici, lo chiamarono e lo invitarono a mettersi a tavola.

Giovanni, col mento appoggiato sull'ombelico, si

fece avanti e si sedette sullo spigolo di una panca. Ma presto si andò rianimando fino a riprendere il colorito di sempre.

Nessuno pareva voler rivangare lo spiacevole episodio della Loggia e Giovanni sentiva invece il bisogno di dire qualcosa in proposito. Si decise verso la fine della serata, quando tutti erano su di tono a causa del vino.

«Scusatemi se mi permetto di interrompervi un istante...» disse Giovanni alzandosi in piedi.

Fecero silenzio e lo guardarono interrogativamente.

Prima di muovere le labbra gli ritornò in tutto il corpo per un attimo la sensazione di vuoto che aveva da bambino quando in piedi sulla sedia doveva dire la poesia di Natale. Chiuse gli occhi, li riaprí.

«Vi chiedo scusa per quello che ho fatto! Giuro su Dio che non lo farò mai piú!» disse a mezza voce rimpicciolendosi di nuovo intorno al proprio baricentro.

Tutti si commossero, indistintamente. Uno, uno qualsiasi, si alzò in piedi col bicchiere di vino in mano e con la faccia rubiconda fece qualche smorfia retorica, ma poi, quando riuscí a parlare, pronunciò un brindisi scarno ed essenziale.

«Tutta acqua passata...»

I massoni furono d'accordo e acclamarono associandosi al brindisi. Qualcuno riempí il bicchiere di Giovanni e glielo porse. Morsero con rabbia il bordo e mandarono giú il vino fino all'ultima goccia.

Giovanni non staccava gli occhi dal dottor Spaziani che sembrava esitante. Il capoufficio lo guardò prima di bere, ma infine bevve. Giovanni si attaccò al bicchiere con avida ingordigia, come un neonato affamato si attacca alle poppe della mamma.

«Alla mia età...» esclamò Giovanni dentro di sé.

Di lí a qualche giorno un fattorino andò a visitare la famiglia Vivaldi con una raccomandata espresso ricevuta di ritorno.

Era il tanto atteso invito per la prova scritta del concorso che Mario doveva affrontare alla fine del mese nel Palazzo degli Esami, in Trastevere, davanti al ministero della Pubblica Istruzione.

Furono giorni di mobilitazione generale per la famiglia Vivaldi. Perfino la signora Amalia fu costretta a riemergere dalla comoda vasca da bagno del suo scetticismo e a darsi da fare come un giocattolo impazzito per tutta la casa. I due maschi, di contro, restavano spesso paralizzati a guardarsi l'un l'altro negli occhi, in una sorta di ipnotismo automatico.

Anche se vissuti al colmo della frenesia e dell'isteria quegli ultimi giorni furono profumati da un pacato delirio. Era come se davanti agli occhi di padre e figlio tutti quegli oggetti che stavano ai loro posti da sempre e che avevano finito per automatizzare molti dei gesti e dei movimenti che compivano, avessero modificato le loro dimensioni e si mostrassero nella loro grezza corposità, come la pelle umana vista attraverso una lente. Non si rendevano conto di muoversi per le stanze con maggiore agilità ma con minor scioltezza. Arrivavano alla sera spossati, con la spina dorsale indolenzita e quando si coricavano sotto le lenzuola restavano per molto tempo inebetiti a gustare quei loro insoliti malesseri. Sapevano di celebrare un rituale che non era loro, forse il primo di una lunga catena che avrebbe, da allora, per sempre, accompagnato la famiglia.

Era una vigilia importante, molto più importante della vigilia di Natale. Dopo avrebbero suonato le campane a festa. La prima grande festa e non certo l'ultima. E la sera, a letto, sognavano ad occhi aperti.

Ma non stavano lí a fantasticare su un futuro ricco di soddisfazioni e aperto a tutti i più entusiasmanti e possibili risvolti: piuttosto erano nostalgicamente presi dal ricordo di quella stessa giornata, come vissuta cento anni prima e non da qualche ora soltanto; per la prima volta, alla sera, quando la famiglia Vivaldi si coricava, possedeva qualche piccola cosa da scrivere sulle candide pagine del suo inventario.

Tutto faceva sperare per il meglio. Mario imparava a memoria pagine intere di libri e di tanto in tanto passeggiava intorno al tavolo o per tutte le stanze ripetendo a voce alta la lezione.

Amalia nelle sue minestre tagliava a pezzetti ogni tipo di commestibile che riusciva a racimolare nel fondo della credenza, nella convinzione di dover rimpinzare di vitamine e proteine quel povero cristo del figlio.

Giovanni aveva continuato a frequentare la Loggia con scrupolosa assiduità e ogni giorno riceveva qualche buona notiziola.

A quel poveretto gli facevano fare di tutto, era costantemente di corvée: spolverava i cimeli massonici, spazzava e metteva la cera per terra, cambiava le candele, lucidava le spade, faceva bucato di paraventi sacri.

Ogni tanto il titolare del locale, lo spedizioniere, lo mandava in banca a pagare qualche cambialetta oppure all'angolo della strada a comprargli marche da bollo o sigarette. Un paio di ore ogni sera Giovanni leccava e incollava interi chili di buste da lettera tagliuzzandosi la lingua e impastandola col palato.

Si era preso una settimana di ferie per dividersi tra il figlio, la Loggia e l'anticamera del dottor Spaziani, il quale da un momento all'altro avrebbe dovuto entrare in possesso del testo del problema. Domani e poi domani e poi forse domani.

Nell'inerzia del nuovo vigore Giovanni riuscí perfino a rattoppare i fili elettrici del frigorifero e a farlo funzionare come una volta.

Alle sei e un quarto di un pomeriggio, drin drin, squillò d'improvviso il telefono. Erano tutti e tre in casa e l'aria che li separava si congelò di colpo. L'apparecchio trillava con un suono meccanico e un po' sconquassato: ora anche il telefono, di cui la famiglia fin dal giorno dell'installazione aveva quasi dimenticato l'esistenza, ricominciava a vivere.

Amalia si fece coraggio e ancor prima di muovere un passo verso l'apparecchio, già tendeva in avanti tutto il braccio. Attraversò la stanza e afferrò la cornetta del telefono con la stessa aggressività di quando alzava il ferro da stiro.

Il dottor Spaziani per Giovanni.

Un attimo dopo l'orecchio del padre si sostituí a quello della madre.

«Pronto, dottore?...»

«Giovanni, – disse Spaziani con una voce diversa dal solito, come se si nascondesse dietro un tono femminile, – ... fra due ore dove sai!»

«Dove so?» chiese, tutto rosso in viso, Giovanni.

«Sí, all'Officina!» clic e la comunicazione fu interrotta.

Giovanni provò subito il bisogno di sedersi e fu Mario che gli infilò in tempo la sedia sotto il culo.

Officina era il termine usato in pubblico dai massoni quando alludevano alla Loggia.

Dalle sei e trenta di quel pomeriggio alle otto e dieci di quella sera Giovanni passò il tempo nel sottoscala dell'edificio, impalato come una sentinella davanti alla porta del magazzino.

Alle otto e un quarto arrivò il dottor Spaziani con la chiave e i due entrarono senza aver osato fiatare.

Il dirigente si sedette dietro la scrivania dello spedizioniere e solo quando si fu ben accomodato riprese colore in volto: forse sedersi dietro una scrivania lo restituiva a se stesso, gli riattribuiva l'identità.

Giovanni si accomodò, come al solito, dall'altra parte del tavolo, e, come al solito, si tese tutto in avanti.

«Ci siamo!» declamò il capoufficio strizzando l'occhio sinistro.

Giovanni si stropicciò le mani e batté due o tre volte i piedi per terra come uno scimmione.

«Ho con me una copia del problema», sussurrò appena lo Spaziani guardandosi in giro.

Giovanni si slanciò, sospinto da un magnete allo stomaco, e si avvinghiò alle mani del superiore per baciargliele con irrefrenabile avidità. E baciava e sudava e sospirava con crescente frenesia.

Tra gli scrocchi, la saliva e i mugolii riuscí a pronunciare una dozzina di «grazie».

Il dottor Spaziani si lasciava fare tutte quelle moine socchiudendo ogni tanto gli occhi, come avrebbe fatto un timido cardinale con qualcuno dei suoi piú fidi sacrestani. Quando decise, infine, di sottrarsi a quella sorta di sevizie, Giovanni ripeté convulsamente:

«Siamo soli, siamo soli... grazie, grazie...»

Insomma, dopo quel sincero atto d'amicizia di Giovanni, i silenziosi gesti quasi d'amore di Spaziani, sul ripiano del tavolo rimase un pezzetto di carta su cui con penna biro era steso il testo del quesito che di lí a un paio di giorni il Presidente della Commissione d'esami avrebbe letto a una classe di almeno mille giovanotti.

Spaziani spese quasi due ore a ripetere fino all'assurdo le sue raccomandazioni a proposito di quelle quattro righe che scottavano piú del fuoco. Giovanni le copiò su un altro pezzo di carta, di suo pugno; l'originale fu incendiato e la cenere gettata nel cesso.

«Mi raccomando, Giovanni, possiamo andare in galera... Di' a tuo figlio di essere prudente, di non portarsi appresso niente e di imparare tutto a memoria... tutto! Se lo beccano, nella merda ci andiamo a finire tutti e lui per primo!»

Giovanni rassicurò il superiore con parola d'onore e giuramenti. Spaziani poteva dormire sonni tranquilli, stare sereno come nel ventre di una vacca: Mario non era uno stupido; comunque ci avrebbe pensato lui stesso a controllare che tutte le cose fossero fatte col massimo della precauzione.

Prima di rientrare Giovanni passò dal pasticciere e comperò sei pastarelle. Infilò il dito nello spago che legava il pacchettino e si diresse gioiosamente verso casa.

I nervi di Mario si erano intanto tesi come fil di ferro e gli infilzavano la carne; gli occhi gli sanguinavano e le labbra avevano decisamente acquistato l'aspetto del sughero. Alla vista del padre Mario saltò come una molla e dopo quattro rimbalzi lo bloccò sulla porta. Giovanni abbracciò il figlio, commosso e soddisfatto. Mario capí che tutto era andato bene e disse, quasi tra sé:

«Papà, sei grande!»

Divorarono in un baleno le paste e scolarono il fondo della bottiglia di liquore al mandarino che Amalia aveva fatto qualche giorno prima dell'ultima festa di Pasqua con l'alcool, l'acqua zuccherata e la polverina comprata dal droghiere.

Alla fine dalla tasca interna della giacca del capofamiglia sortí fuori il foglietto col testo dell'esame. Intorno ad esso si creò un gelo religioso.

La fatidica mattina degli esami sembrava che il sole non volesse presentarsi al consueto appuntamento giornaliero.

Padre, madre e figlio stavano in piedi da un pezzo sotto la luce verrucosa delle lampadine, mentre il Tuscolano, fuori, nelle strade fredde, era come una vecchia latta ammaccata e arrugginita.

Giovanni si affacciò alla finestra e scorse un'ambulanza che scivolava in silenzio, con il faretto blu impazzito, lungo la carreggiata oltre i binari del tram. La vide scomparire lontano ma continuò a inseguire i lampi azzurrini che accendevano, uno dopo l'altro, i palazzi e i caseggiati del quartiere.

Giovanni guardò il cielo per scoprire un segno di chiarore ma, tra gli spazi vuoti degli edifici e su in alto, non vide che stelle luminose.

D'improvviso, quasi contemporaneamente, si accesero quattro, cinque finestre, in alto, in basso, nei palazzi che stavano lí intorno.

Una di quelle finestre si aprí e si affacciò un uomo in pigiama; si appoggiò al davanzale e si mise a scrutare il cielo con l'aria di voler aspettare l'alba, anche lui. Giovanni lo guardò, ma non poté capire se anche quell'uomo guardava lui: la luce di una lampadina nuda alle spalle lo inquadrava come un'ombra, quasi una sagoma del tirassegno.

«Avrà un figlio come Mario... forse suo figlio dovrà fare lo stesso esame... o forse sarà un pensionato,
chissà!»

Giovanni restò a lungo a fissare il signore alla finestra del palazzo di fronte e forse anche quello stava
fissando lui, vedendolo come un profilo nero, come
un'ombra.

I lampioni nelle strade si spensero di colpo, i primi
colori di luce sbavarono il cielo dei Castelli romani.

I due capifamiglia rientrarono nei rispettivi appartamenti e richiusero le finestre.

Mario, tra un sorso e l'altro di caffè, stava ripetendo-
si ad alta voce la risoluzione del problema.

La signora Amalia era piegata sul tavolo della cucina e pigiava con tutta la forza il ferro da stiro lungo le
pieghe dei pantaloni del figlio, tra grosse sbuffate di
vapore.

«Sei sicuro del fatto tuo?» domandò il padre a Mario.

«Stai tranquillo...» gli rispose continuando a recitare la lezione.

La signora Amalia poggiò sui letti gli abiti stirati, le
camicie, i calzini, le mutande dei due maschi; si attorci-
gliò dentro uno scialle di lana e uscí di casa.

Giovanni e Mario sapevano benissimo dove la donna stava andando e non dissero nulla: gettarono istintivamente un'occhiata furtiva all'orologio, ma era ancora presto per vestirsi.

La signora Amalia, muro muro, girò l'angolo del palazzo, attraversò la strada, percorse un centinaio di metri, salí quattro gradini ed entrò in una chiesa.

Un vecchio stava accendendo le candele ai piedi dei
santi nascosti nelle nicchie scavate lungo i muri, ritti
come mummie nei sarcofaghi.

Amalia immerse la mano dentro l'acqua santa, si segnò, si genuflesse e poi andò a inginocchiarsi nell'ultima fila di panche davanti all'altare maggiore. Stette lí a bisbigliare con incredibile velocità una dozzina di Pater Noster, una mezza dozzina di Ave Maria e Salve Regina, un paio di Atti di Dolore e Gloria Patri a volontà. Un Requiem aeternam per i morti e un Mea culpa per qualche peccatuccio che al momento poteva esserle sfuggito dalla testa. Canticchiò, un po' a mente un po' tra le labbra, il Tantum ergo Sacramentum e l'Ostia divina. Si segnò di nuovo, si alzò e si immerse nella buia ombra di un confessionale.

Infilò la mano sotto lo scialle, sbottonò la camicetta, estrasse dall'interno del reggiseno un minuscolo sacchetto di pezza bianca. Lo rovesciò su una mano e ne uscirono tre chicchi di sale, tre chicchi di grano e tre chicchi di incenso.

«Sale, sale, sale e Sapienza, porta a casa mia la Provvidenza...» recitò la signora Amalia con gli occhi luccicanti; e poi ancora:

«Grano, grano, grano e Sapienza, porta a casa mia la Provvidenza. Incenso, incenso, incenso e Sapienza, porta a casa mia la Provvidenza».

Baciò il tutto e lo rimise nel sacchetto, legò forte con uno spago sottile e si avvicinò di nuovo all'acqua santa: per tre volte immerse il prezioso involucro nel catino e uscí dalla chiesa a passi veloci.

Rientrata in casa, Amalia trovò marito e figlio già vestiti a puntino.

«Facci l'ultimo caffè...» le ordinò Giovanni.

La donna si tolse lo scialle e andò in cucina a caricare la macchinetta e a metterla sul fuoco.

Mario stava per sedersi proprio sotto l'orologio quando vide sua madre avvicinarsi con il volto commosso. Non si sedette, rimase in piedi ammutolito. Anche Giovanni si rese conto dell'emozione della moglie e sentí subito un forte nodo alla gola. Non si mosse.

La signora Amalia abbracciò il figlio e lo baciò; fu lí lí per scoppiare in lacrime ma riuscí a trattenersi.

Giovanni si voltò dall'altra parte e strinse forte i denti per rimandare giú i singhiozzi che incalzavano furiosi nella gola.

Mario stava per dire qualcosa ma la madre non gliene dette il tempo: come per incanto le comparve in mano il sacchetto ancora umido di acqua santa e glielo ficcò nel taschino della giacca.

«Ti porterà fortuna».

Mario non fiatò e neanche Giovanni. Amalia rientrò in cucina per il caffè.

Mentre i due maschi si guardavano con aria di disincantata benevolenza, tra lo sbattere di tazzine e cucchiaini udirono i lamenti della poveretta.

«Che brava donna che è tua madre...» s'intenerí Giovanni tendendo verso il basso, come un arco, le labbra e tirando su le sopracciglia fino a nasconderle sotto i capelli.

Mario annuí senza troppo scomporsi.

La signora Amalia portò il caffè, riscomparve in cucina e riuscí subito con un cucchiaio fumante nella mano.

«Gesú, Giuseppe e Maria...
benedici la casa mia!
Gesú, Giuseppe e Maria...
scaccia l'invidia da casa mia!»

E cosí pregando la donna andò in giro per tutta la casa, affumicando tutti gli angoli con i vapori dell'incenso.

Venne il momento di uscire. Giovanni aveva deciso già dalla sera avanti che per non correre rischi sarebbero andati al Palazzo degli Esami col tram e che, per maggior sicurezza, sarebbero partiti di buon'ora.

«Pregherò per te!» furono le ultime parole della signora Amalia.

«Ciao mamma», quelle di Mario.

«Su, andiamo», concluse Giovanni, con un pizzico di enfasi.

I due attesero il tram per un buon quarto d'ora. Non scambiarono verbo: entrambi erano chiusi in sé, con una zucca al posto della testa e un manico di scopa come spina dorsale.

Arrivò il tram e montarono su tenendosi quasi per mano.

«Domenica andiamo a pescare, ti va?»

Con questa domanda Giovanni credette di essere in qualche modo utile al sistema nervoso di Mario.

«Come non mi va?! D'accordo, domenica a pesca!» E fu come se il figlio avesse risposto: «Tutto va bene, stai tranquillo».

In quelle ore di primo mattino il tram procedeva ad andatura sostenuta.

All'interno c'erano solo poveracci che andavano al lavoro, quasi tutti muratori o manovali.

Padre e figlio erano seduti accanto alla portiera d'uscita, le gambe accavallate e le mani rilassate sulle ginocchia. Cullati dal dondolio della vettura si lasciarono prendere dalla sonnolenza e di tanto in tanto tiravano in su le palpebre e in giú le pupille per riportare l'occhio alla posizione normale.

Giovanni si scosse e guardò fuori per riprendere coscienza. Come uno scarabocchio gli passarono davanti lunghi plotoni di finestre socchiuse e di automobili in sosta, qualche albero che sembrava carbonizzato e i torpedoni dell'Atac che cigolavano come carri armati.

Ad una fermata salí un ragazzino multicolore con la radiolina accesa nelle mani; dopo aver mostrato la tessera al vetturino si aggrappò con tutto il peso a un sostegno di ferro del fondo e cominciò ad agitare il culo a tempo di musica.

Giovanni gettò un'occhiata al figlio e lo vide sonnecchiare; lo lasciò in pace e fissò senza volere le facce dei morti di fame appollaiati sui sedili di formica.

La sua condizione di spirito lo metteva, piú che mai, nello stato d'animo di chi, sapendo vivere, si rincresce di non poter insegnare nulla agli altri. E gli altri erano la fine che né lui né Mario avevano fatto.

Lo spauracchio di una tale tragedia era stato definitivamente sepolto il giorno in cui suo figlio aveva conquistato l'abilitazione commerciale. E i fantasmi, ora, poteva vederli bene in faccia, lí davanti, dentro quegli abiti di miseria con i segni dei lavori umilianti stampati addosso, come una scarlattina eterna.

Giovanni pensava e intanto fissava il ragazzino tutto pitturato e sculettante, quel ragazzino, un po' rognoso e molto incivile, che non sarebbe mai diventato ragioniere.

Si guardò intorno con atteggiamento aperto e nuovo e questo lo sorprese piacevolmente. Fintanto che viveva sotto la minaccia di un futuro buio e torvo il suo animo si restringeva e si rifiutava alla verità e a tutto diventava cieco; ma ora si era fatta la luce, su ogni cosa, presente e avvenire: il mondo era piú articolato e piú vasto, in esso c'era posto per tutti, imbianchini e ragionieri. Gli ritornarono in mente – anche se le idee gli scivolavano nel torpore del cervello – alcuni concetti del fratello professore: il compasso, l'armonizzazione del progresso del tutto, il punto fisso geometricamente e l'angolo che si ingigantisce o si rimpicciolisce.

Giovanni stava per andare in pensione e non si ricordava di aver mai incontrato nella sua vita un ragioniere che facesse l'imbianchino. E poi c'era l'esame che – corna e scongiuri – non avrebbe dovuto destare piú preoccupazione e neppure rappresentare un ostacolo per l'avvenire del figlio.

«È una bella giornata», pensò mentre alzava lo sguardo verso i cornicioni illuminati dei palazzi. Quindi posò gli occhi giú, dove la gente mattutina, chiusa in una specie di tragico silenzio, camminava facendo la sua stessa strada: lo accompagnava in quel viaggetto verso il Palazzo degli Esami; qualcuno deviava da una parte o dall'altra, ma c'era sempre una automobile che si affiancava al tram e lo scortava, lemme lemme. Sembrava che il mondo intero si fosse levato di buon'ora per andare con lui e con Mario: la folla degli uffici, dei negozi, dei Ministeri, la gente piú buona del mondo.

Alla stazione Termini Giovanni e Mario scesero e si avviarono al bar per altri due caffè.

«Ti senti bene?» domandò al figlio Giovanni.

«Sí», gli rispose Mario.

«Non è che poi ti fai prendere dall'emozione e perdi la memoria?»

«No, papà: sta tutto qui in testa come l'Ave Maria!»

Cosí dicendo Mario poggiò l'indice quasi dentro un occhio.

«Hai portato con te la penna?»

«Ne ho portate sei... tutte nuove...»

«E l'orologio ce l'hai?»

«Non ce l'ho, ma a che mi serve?...»

Giovanni si tolse l'orologio e lo consegnò al figlio senza esitare.

«Ricordati: non devi riconsegnare i fogli né troppo presto né troppo tardi... nessuno deve sospettare...»

Mario annuí e si allacciò l'orologio.

«Che ora è?» domandò il padre.

«È ancora presto!»

«Ci conviene andare a piedi!»

«A piedi?»

«Non è molto lontano e ti farà bene e poi non si sa mai con questo schifoso traffico di Roma...» Bevvero il caffè e con la lingua che ancora scottava uscirono dal bar e intrapresero la marcia verso il Palazzo degli Esami, in viale Trastevere.

La città si andava sempre piú animando, le automobili già intasavano gli incroci.

Giovanni e Mario non avevano piú niente da dirsi e non dicevano piú niente neanche a se stessi, forse perché erano troppo vicini a quella tappa cosí importante o forse perché si erano realmente svuotati per la tensione che stava lí lí per culminare. Come due spaventapasseri, il figlio dietro al padre, vedevano la terra roteare sotto i loro piedi e avvicinarli implacabilmente all'esame.

Dimentichi quasi di tutto tiravano su il naso, pronunciavano all'unisono i nomi delle strade e proseguivano in silenzio.

E come prima, quando le automobili scortavano il tram, cosí ora i pedoni li affiancavano, tutti con loro verso il Palazzo degli Esami, come i pesciolini che inseguono la balena nelle avventure degli Oceani.

Piazza Indipendenza, via Nazionale, via Quattro Novembre, piazza Venezia, poi piazza del Gesú con la chiesa barocca, la sede Dc, il palazzo della Massoneria e l'istituto per i sordomuti e infine piazza Argentina.

«Mi fanno male le scarpe», ripeteva ogni tanto Mario. Ma il padre niente, procedeva dritto dritto davanti a sé.

Di lí a poco sbucarono in una piazzetta quadrata dove successe quello che successe.

Fu insieme un batter d'occhio e un'eternità. Non aveva finito di dire: «Mamma» che già Mario era morto.

Un attimo prima o un secolo prima l'urlo di una donna, di quelli che si possono fare solo in falsetto, a spaccagola.

Il sangue usciva dai calzoni del ragazzo come da rubinetti lasciati aperti. A ucciderlo furono alcuni colpi d'arma da fuoco (piú tardi si venne a sapere che si trattava di fucili mitragliatori in dotazione ai fanti dell'Esercito). Cosa successe?

Una rapina al Monte di Pietà, alla luce del giorno.

E quel giorno toccò a Mario e ci lasciò le penne. Un occhio immerso nella pozza di sangue e l'altro spalancato a fissare ancora il padre.

Giovanni si ritrovò in ginocchio sopra di lui con i circuiti elettrici completamente interrotti.

Tre giovanotti mascherati avevano sparato all'impazzata per farsi largo e raggiungere un'automobile che li aspettava col motore acceso. Se qualcuno del Monte dei Pegni non avesse tentato di fermare i malviventi, forse Mario non sarebbe stato ucciso. Ma in quel momento chi poteva pensare a Mario?

Nella mente di Giovanni restò tutto e nulla di quella tragedia. Incredibile, ma non udí gli spari. Per molto tempo gli rimase addosso l'odore del sangue e la sensazione di avere miele tra le dita.

L'urlo della donna martellò a lungo le sue tempie e sulle pupille gli si stampò l'immagine di uno dei tre delinquenti che, cadutagli la benda dalla faccia, incurante gridava ai compagni di correre.

Mario morí ancora prima di crollare a terra. Nella caduta, infatti, la mano del giovane urtò contro le mani del padre e le colpí come se fosse stata di legno.

Giovanni viveva un fatto di cronaca nei panni di protagonista, un fatto simile a quelli che era abituato a commentare in ufficio o a letto, alla sera, con la signora Amalia.

Mario era morto e questo avvenimento non fu preso subito di petto da Giovanni, alle prime battute della tragedia, e forse proprio per questo non lo fu mai piú. Con le ginocchia immerse nel sangue del figlio era bombardato da sensazioni quasi cosmiche, alla velocità della luce.

Dopo la tragedia, col tempo, i ritmi della vita di Giovanni tornarono quelli che erano sempre stati, forse un poco piú affaticati. Finiti i pianti, l'incredulità, le condoglianze e il funerale, piano piano ogni cosa tornò al suo posto e i giorni ripresero a scorrere sui binari stabiliti dal calendario.

I colleghi del Ministero, i fratelli massoni e anche comuni cittadini inviarono a Giovanni e a sua moglie telegrammi di commiserazione.

Ma con la stessa velocità con cui la notizia si era sparsa, perse valore e le fotografie sui giornali della famiglia Vivaldi furono presto sostituite dalle immagini di altri disgraziati. Solo di tanto in tanto un trafiletto in cronaca informava i lettori sulle indagini della polizia a proposito della rapina al Monte di Pietà. Altri drammi travolsero quello di Giovanni e della sua famiglia.

«Era troppo buono per questo mondo...» ripetevano – tutte le volte che potevano – i colleghi di ufficio.

«Rassegnati... devi guardare avanti...»

«Avanti dove?» era la silenziosa domanda di Giovanni.

Anch'egli si convinse che Mario era un angelo e che gli angeli non possono vivere su questa terra. Dio lo voleva accanto a sé e quel giorno lo aveva mandato a prendere. Ma la profondità di questa convinzione non era minore di quella del suo dolore. Intorno a lui si era creato un vuoto incolmabile.

Ah, se all'epoca invece di uno solo ne avesse fatti due di figli! A quest'ora gliene sarebbe rimasto uno di riserva, un altro affetto che, almeno parzialmente, avrebbe potuto riempire il deserto lasciato da Mario.

Ma era troppo tardi e nessun miracolo lo avrebbe riportato indietro.

«Devi guardare avanti...»

Avanti Giovanni vedeva solo due avvenimenti certi ed erano altrettante disgrazie definitive: il proprio trapasso e quello della moglie, niente piú.

Quando tutto sembrava andare per il meglio ecco che a Giovanni era ruzzolato il mondo sulla testa: è vero che la ruota gira gira e un giorno o l'altro poi ti schiaccia. La sua vita aveva avuto, certo, alti e bassi, come capita d'altronde alla gente in genere, ma troppo presto Giovanni aveva abbassato per sempre il capo e seppellito contemporaneamente quel ramoscello acerbo di suo figlio.

E Amalia – quella povera donna – che forse per la prima volta aveva apertamente incoraggiato il suo piccolo sogno di speranza... Le prese un colpo, nel vero senso della parola: rimase vittima di una trombosi circa un mese dopo la morte del figlio. Da allora restò seduta sulla sedia di vimini senza piú ragione né sentimento, in penombra nel corridoio perché la luce le faceva male.

È vero che aveva sempre avuto la pressione un po' alta e che ingeriva troppi liquidi, ma a farla crollare fu la scomparsa di Mario.

Giovanni pensò che il peggio non arrivava mai, che forse ella avrebbe sofferto di meno cosí, priva di sensibilità. Egli le avrebbe amministrato l'esistenza, l'avrebbe nutrita e assecondata puntualmente nei suoi bisogni con premura e carità.

Gli avvenimenti, insomma, dopo la disgrazia andarono un po' per conto loro. Il dottor Spaziani e i fratelli fecero tutto quello che poterono, si dettero veramente daffare per consolare il collega, invitandolo a destra e a sinistra, cercando di scuoterlo anche con feroci ramanzine.

«Stai trascurando le pratiche, Giovanni, se continui cosí sarò costretto a ridarti del lei...» insistette il dottor Spaziani al telefono, allorché dovette chiamare all'ordine Giovanni che mostrava gran fatica a riprendere il lavoro.

Giovanni si scosse e bisogna dire che si mise di buona lena, con uno zelo che non aveva conosciuto in altri tempi.

Ben volentieri tornava in ufficio anche nel pomeriggio a spulciare i suoi fascicoli e ad ammucchiarli con ordine negli scaffali, come una brava matricola vogliosa di far carriera. Eppure gli mancavano pochi mesi alla pensione.

Fu proprio in uno di quei pomeriggi di lavoro che ricevette in ufficio una telefonata.

«Lei è il signor Vivaldi?»

«In persona», rispose Giovanni.

«Sono il maresciallo di Pubblica Sicurezza Ciappi: si presenti domani mattina in Questura alle dieci...» Clic e la comunicazione cadde.

Giovanni impallidí: la voce secca del maresciallo gli aveva congelato i polmoni.

«Cosa vorranno da me?» si domandò.

Non era mai successo che la Giustizia lo mandasse a chiamare.

Si presentò in Questura con la puntualità che lo distingueva. Gli ordinarono di sedersi e di aspettare il maresciallo Ciappi, provvisoriamente assente.

Obbedí dopo aver adocchiato una panca libera nei pressi di un enorme radiatore.

Passata la prima mezz'oretta si rassegnò all'idea di dover restare là dentro almeno tutta la mattinata.

Si accomodò meglio, estrasse dalla tasca la «Settimana enigmistica» e si calò in uno dei tanti cruciverba che il giornaletto gli proponeva. Se almeno avesse potuto conoscere il motivo di quella convocazione! Si sarebbe rassicurato e avrebbe aspettato con animo diverso.

Mentre con un occhio contava le caselle dello schema enigmistico, con l'altro studiava l'ambiente che risultava come elettrizzato e pronto ad esplodere da un momento all'altro: gli estremi piú assoluti coabitavano nella grande sala d'aspetto, all'interno degli stanzoni, su nei pianerottoli delle scale: i piú buoni di tutti, i piú cattivi di tutti; i poliziotti e i delinquenti; i difensori dell'ordine e quelli del disordine.

E a distinguerli c'era una divisa verdognola, un berretto anch'esso verdognolo ed una pistola nella fondina pendolante. Chissà quanti poliziotti là dentro erano vestiti da delinquenti!... E se anche qualche delinquente si fosse travestito da poliziotto? L'idea fece rabbrividire Giovanni e lo fece balzare in piedi di colpo.

Guardò attentamente lo spazio intorno, per un attimo, con gli occhi sbarrati e la bocca appena dischiusa. Gli passarono davanti e si incrociarono criminali trascinati da poliziotti, poliziotti con la faccia di criminali che trascinavano delinquenti con la faccia di poliziotti.

Giovanni mandò giú un sorsetto di saliva e si mise a camminare cercando di pensare ad altre cose.

Ben presto quelle assurde visioni scomparvero e poté aspettare con un pizzico di disinvoltura, il che in quell'ambiente era la caratteristica comune delle persone oneste.

In fondo tutta quella gente addetta all'ordine era impiegata come lui e anzi non poteva esistere senza il suo Ministero. Quanti di essi, un giorno o l'altro, sarebbero andati in pensione? Tutti! Solo in vista di una giusta pensione i questurini lavoravano e si davano daffare, non certo per la gloria. Tutti per uno, uno per tutti. La Questura aveva un grande ascensore, un quarto piano, un numero imprecisato di impiegati civili, del tipo intellettuale e di quello piú scadente. Capisezione, ispettori generali, i vari gradi di carriera, secondo norme uguali per tutti gli statali, appartengano essi al ministero degli Interni o a quello delle Finanze. L'ascensore faceva lo stesso rumore, emetteva i medesimi cigolii: forse una stessa ditta li aveva fabbricati entrambi.

Erano passate due ore e piú, il maresciallo Ciappi ancora non si era fatto vivo e Giovanni si guardava bene dal fare un qualsiasi sollecito. Aveva ormai familiarizzato per benino con quel luogo anche se in fondo al cuore era posato un sassolino appuntito.

Verso mezzogiorno e mezzo si piazzò al centro della sala, i piedi a squadra e una mano sul petto.

Poteva ben passare, prima o poi, qualche massone. E forse questi gli avrebbe anche fatto da guida e dato dei consigli utili, ma soprattutto lo avrebbe tirato fuori da qualche pasticcio che poteva scaturire dall'incontro col maresciallo Ciappi.

La gente gli passava accanto e non lo guardava nemmeno. Solo due o tre signori in borghese gli girarono un po' attorno senza avere il coraggio di parlargli. Lo squadrarono dalla testa ai piedi, si allontanarono, si voltarono ancora, fecero qualche timido passo verso di lui, alla fine desistettero e continuarono per la loro strada.

Il maresciallo Ciappi lo sorprese in quella posa e un po' stralunato gli ordinò di seguirlo nel suo ufficio.

I due entrarono in una cameretta poco piú grande di un ripostiglio dove un appuntato sonnecchiava seduto dietro a una macchina da scrivere.

«Permette?» chiese Giovanni tendendo la mano.

Il maresciallo lo guardò spegnendo un occhio e accendendo l'altro. Tese la mano con diffidenza.

«Vivaldi Giovanni, impiegato...»

Giovanni strinse la mano al maresciallo infilandogli il dito indice sotto il polsino della camicia, a mo' di massone.

Il poliziotto sussultò e quasi gli urlò di sedersi. Giovanni impresse subito al volto un'espressione virile per cancellare qualsiasi qui pro quo e stette lí, durante tutta la conversazione, col dito indice eretto, come se fosse paralizzato da una malformazione.

E mentre il maresciallo dettava all'appuntato le prime parole del verbale, Giovanni cercava di mettere in bella mostra quel dito teso, accarezzandoselo e ostentando moti di sofferenza.

«Lei è il padre del morto, non è vero?» chiese il maresciallo.

Giovanni piegò il viso dopo aver fatto una diecina di smorfie.

«Ha visto in faccia gli assassini, non è vero?»

«Uno solo», disse Giovanni guardando il pavimento.

«Lo potrebbe riconoscere?»

L'uomo guardò il poliziotto illudendosi di specchiare sui suoi occhi tutto l'odio che aveva dentro di sé. Ma il maresciallo lo fissava come il fattorino del tram fissa il viaggiatore che sta racimolando monete dalla tasca.

«Sí...»

E Giovanni fu condotto all'interno di una saletta, dove altri cinque testimoni oculari della famosa rapina stavano aspettando.

Vennero spente le luci, proprio come al cinema prima dell'inizio dello spettacolo, e si accesero alcuni faretti contro una parete attraversata da linee grigie orizzontali. Fecero il loro ingresso sette individui dalla faccia losca e si disposero uno accanto all'altro secondo l'ordine che il maresciallo Ciappi aveva stabilito.

«Siamo sicuri che tra questi signori c'è il galantuomo che stiamo cercando! Voi diteci chi è e al resto ci penso io!...»

I sei testimoni cominciarono a grattarsi da tutte le parti, a bilanciarsi sulla sedia, poggiandosi prima su una natica, poi sull'altra.

Giovanni fu investito da spruzzate di sudore, prima sotto le ascelle e sul petto, poi sul cuoio capelluto e dietro alle orecchie, alla fine dappertutto.

A macchie scolorite gli ritornarono alcuni momenti di quell'ultima giornata col figlio. E dentro le sbiadite apparizioni cercava un viso. Scoprí che erano tre i volti che nei suoi ricordi si incrociavano, primo fra tutti il viso bianco di Mario. Poi l'assassino, la sua immagine che non voleva star ferma, veniva e poi scompariva, si confondeva con quella del ragazzetto multicolore del tram, quello che sculettava appeso come uno straccio vecchio alla pertica d'alluminio della vettura.

Tra le teste che baluginavano nella luce spettrale della saletta Giovanni non riconobbe quella dell'assassino. Il primo a scrollare il capo fu proprio lui e gli altri testimoni gli fecero eco.

Il maresciallo ebbe un gesto di rabbia e rimandò tutti a casa, attori e spettatori.

A casa. Ad aspettarlo c'era il corpo di Amalia, afflo-sciato sopra la sedia di vimini. Com'era diventata nuo-va consuetudine la baciò sulla fronte e andò in cucina per friggere le uova. Aprí il frigorifero e fu immediata-mente assalito da una vampata di putrido fetore: l'elet-trodomestico era di nuovo scassato e le pareti interne sembravano sudare come una pelle accaldata.

Con un brontolío furioso prese le uova e si accinse a friggerle. Quando furono pronte spinse la macchina da cucire davanti alla sedia di vimini, ne apparecchiò alla meglio il ripiano e si sedette di fronte alla moglie.

Dopo pranzo, vocabolario alla mano, si sistemò, co-me faceva sempre, accanto alla finestra a riempire ca-selle e spazi bianchi della sua «Settimana enigmisti-ca»: l'erbio; si consuma alla sera; Pisa per l'Aci; Mar-cella cantante; articolo; insetto laborioso; moglie di Atamante; larga tazza senza manico; madre delle Gra-zie, ecc.

Dopo il primo schema guardò l'orologio.

«Forse è meglio che parto subito, a quest'ora non c'è traffico», disse verso le orecchie di Amalia.

Si organizzò, uscí.

Trovò da parcheggiare davanti all'edicola chiusa di un fioraio. Scese e si avviò verso il cancello d'ingresso.

Ogni volta che vedeva il cimitero, anche quando ci passava davanti per caso, con rabbia pensava alla battaglia che aveva perso nella conquista di un fornetto per sistemare il povero Mario. Non c'era posto: provvisoriamente avevano collocato la cassa in deposito; poi, in un secondo momento, avrebbero cercato di infilarla da qualche parte. Si trattava di aver pazienza. Man mano che i fornetti si liberavano i posti venivano occupati dai vecchi cadaveri del deposito. Non ci fu niente da fare, nessuna interferenza con la direzione del Verano poté sbloccare la situazione.

Giovanni dovette rassegnarsi.

«È stato piú facile per il posto al Ministero che per il posto al cimitero!» Cosí pensando Giovanni poggiò il piede sulla fertile terra del Camposanto.

Per motivi di spazio, naturalmente, lo sviluppo edilizio del cimitero era a carattere intensivo e lo era a tal punto che a colpo d'occhio faceva impressione. I cadaveri sparpagliati dappertutto; le tombe sbucavano da ogni angolo, ogni spigolo era un sacrario; le croci una attaccata all'altra, cosí vicine che veniva da domandarsi se per caso non piegavano in due i cadaveri prima di seppellirli. Complicate strutture artistiche stavano lí a giustificare la scomoda posizione dei morti che, in alcune zone, necessariamente dovevano essere seduti dentro le loro casse perché queste erano messe in verticale, come i soldati a una parata.

Procedendo sui sentierini striminziti Giovanni ebbe l'impressione – non certo gradevole – di camminare su una piattaforma di casse da morto, ricoperte appena da qualche dito di terriccio.

Ogni tanto una freccia gli indicava la direzione dei depositi. Cammina, cammina Giovanni arrivò davanti a un edificio che aveva l'aspetto di una chiesa sconsacrata.

Lo riconobbe: Mario riposava là dentro, in attesa di un sepolcro piú degno.

Aveva appena posato un piede sulla soglia che l'odore di fiori gli divorò in un attimo tutto l'ossigeno che aveva in corpo e lo stordí come avrebbe potuto fare una martellata sulla testa.

Le diecine di migliaia di candele facevano fatica a tenersi accese in quell'aria quasi solida, in quella oscurità sinistra. Gli occhi di Giovanni cominciarono a lacrimare e a bruciare, punti dai vapori della creolina e dai deodoranti alla lavanda.

Tra le migliaia di persone che c'erano dentro nessuno che non piangesse, che non si strappasse i capelli dalla testa, che non invocasse un nome con tutta la forza che era rimasta nei polmoni.

Piú che un'enorme camera ardente sembrava il Posto del Pianto, una specie di servizio pubblico costruito espressamente come gli asili, i giardinetti e le fontanelle. Chi avesse voluto sfogarsi e piangere poteva andare lí, cosí come chi ha urgenza di pisciare può entrare in qualche vespasiano del comune. Chissà se tutta quella gente aveva veramente un morto da piangere, tra loro poteva esserci qualcuno che era venuto per scaricarsi i nervi! Si potevano supporre le due cose insieme: è umano che quando uno piange per la morte di un suo caro approfitti della circostanza per piangere anche su tante altre cose.

Urli, quindi, e lamenti.

La cera dei moccolotti era attaccata perfino al soffitto e da tutti gli angoli come la lava di un vulcano si espandeva e si rassodava percorsa da nuovi ruscelletti bollenti. Le bare erano sistemate una sopra l'altra, fin su in alto, al soffitto, lungo tutte le pareti. Sulle casse erano inchiodati fiori di plastica, fotografie, santini, corone di latta e crocifissi.

Giovanni passò accanto ad una donnetta magra magra che sopra il ripiano di una bara stava componendo un bel presepio, con le statuette, la capanna di Gesú e il muschio. Si fermò un attimo pieno di curiosità, poi riprese a farsi largo nel dolore e nel pianto generale.

Ispezionò con la testa in su due o tre file di bare cercando quella di Mario, verso gli ultimi piani, immediatamente sotto il soffitto: doveva essere di legno chiaro, ancora nuova, con una croce di bronzo all'altezza dei piedi. Gli sembrò di riconoscerla, e si fermò sotto, tentando di concentrarsi, ma non vi riusciva.

Lí vicino una specie di gru montata su un trattore faceva un rumore dannato e i becchini che stavano sistemando un nuovo ospite in un'altra fila sbraitavano e litigavano fra loro, in un'eco assordante.

«Tira su... no, piú in là. Abbassa, abbassa!...»

E come se non bastasse, dall'altra parte, una donna – neanche tanto vecchia – parlava ad alta voce col marito morto, rimproverandolo di averla lasciata sola e sconsolata. Giovanni fu anche costretto, ad un certo punto, a farle spazio perché la poveretta si sbracciava per buttare un mazzo di violette sopra quella sua bara che, disgraziatamente, era troppo in alto. Egli vedendo che proprio non ci arrivava e che i fiori si sciupavano sempre piú ad ogni caduta, si offerse di aiutarla. Raccolse da terra il mazzetto e lo lanciò. Dopo due o tre tentativi vi riuscí, anche se sulla cassa finirono per posarsi solo alcuni steli e qualche foglia malconcia. La donna si chiuse nelle spallucce in segno di ringraziamento e andò via.

Giovanni ritrovò subito con gli occhi la cassa di Mario e la fissò, incapace di pensare. Il suo cervello pareva mandare i brontolii di uno stomaco vuoto. La fronte era diventata legnosa e le rughe – che una volta l'attraversavano lisce come binari del treno – sembravano reduci da un tragico sinistro: le sopracciglia ci stavano sopra, aggrappate per i piedi e mettevano meglio a nudo gli occhi intrappolati in quelle orbite senza uscita.

Era attonito o forse stordito nell'anima e nel corpo. E sarebbe rimasto in quella condizione sublime fino a tempo indeterminato se di lí a poco un'esplosione fragorosa non avesse fatto tremare tutte le casse da morto del deposito.

Urli, svenimenti e paure.

Per fortuna non tutti si lasciarono prendere dal panico, primo fra questi Giovanni che si rese conto di quello che era successo soltanto quando non aveva piú senso urlare, nel silenzio agghiacciato e sbigottito della folla.

Una bara dell'ottavo o nono piano, alle spalle di Giovanni, era scoppiata e dalle spaccature del legno veniva fuori uno strano materiale, un misto di stracci umidi e di melma densa.

«Niente paura! – gli disse una vecchia signora dall'aria navigata, mentre riprendevano le lacrime generali. – Ogni tanto ne scoppia una... per via del gas che si forma dentro. Io dico che sono i morti che si ribellano! Si sono stancati di stare qui... vogliono una sepoltura come gli altri. Sono piú di dieci anni che vengo qui. Vede quella cassa là sotto? – gli indicò la donna afferrandolo per un braccio e facendogli fare dietro front. – Quello è mio marito. Vedrà che un giorno scoppierà anche lui!»

«Speriamo di no, signora, – cercò di calmarla Giovanni. – Vedrà che una volta o l'altra lo sistemeranno da qualche parte!»

«Beato lei! – gli fece un brutto ghigno la donna. Poi ne fece un altro a se stessa. – È colpa del direttore, quel porco schifoso avvoltoio... gli sparerei in bocca, lo giuro!»

Giovanni si girò a guardare una piccola équipe di becchini che stava entrando nel deposito.

La donna scomparve accompagnata dal rimastichío delle sue lamentele.

I becchini scalarono le bare e in un baleno – chiodi e martello alle mani – rimisero tutto in ordine.

La platea si placò e ritornò la calma, se cosí si poteva definire quel trambusto infernale di pianti e di preghiere.

Per Giovanni giunse il momento propizio per versare qualche lacrima amara in onore del figlio; passò di nuovo in rassegna la scaffalatura e si concentrò fissando la cassa con le corde del collo tirate fino a spezzarsi.

Guardare in alto gli faceva piú bene allo spirito che guardare in basso. Se quella parete di casse da morto fosse stato un palazzo del Tuscolano, Mario avrebbe abitato un appartamento dell'ultimo piano. Se fosse stato il Ministero, avrebbe avuto l'ufficio accanto a quello del Ministro. Se invece tutti quei morti fossero stati i martiri della guerra, Mario sarebbe stato, tra gli eroi, il piú giovane.

Se era vero, infine, che Dio sta piú in alto di tutti, Mario era quello che gli stava piú vicino. Mario Vivaldi. Piú di un ragioniere, piuttosto il suo equivalente nel Regno dei Cieli: Cherubino? Serafino?

Eh, sí, era giunta l'ora delle lacrime e queste non potevano uscire se non nel momento in cui Giovanni avesse riportato suo figlio in terra e non si fosse misurato, con lui presente, nei sentimenti.

Mario non c'era piú e a chi poteva, questo fatto, procurare danno? A Giovanni e anche a sua moglie. Amalia aveva subíto una lesione al cervello (la pressione troppo alta). Giovanni?...

Giovanni sentí gonfiarsi le occhiaie e per un attimo

la vista gli si annebbiò. Dovette attendere che il pianto traboccasse per riacquistare l'uso degli occhi. Tirò fuori dalla tasca il fazzoletto e si asciugò il viso. Ma dopo questo gesto fu subito preso da un torpore oscuro: e come quando uno sta per addormentarsi sentí i pensieri annacquarsi e i muscoli distendersi.

La tempesta del cervello si andava placando e subentrava la quiete: la luce che gli faceva balenare le idee si smorzò di colpo e poi lentamente si spense, come fa il cielo un attimo prima della notte.

Perse la cognizione di tutto, non si rese conto di quanto tempo passò sonnecchiando sotto il muro delle casse da morto; lo ridestò e lo sorprese un suo stesso lungo sbadiglio che risuonò nel deposito, crudele nella crudeltà di tutti quei morti. Giovanni cercò il fazzoletto che aveva in mano, ma lo vide per terra, accanto ai suoi piedi, lo raccolse e lo strinse di nuovo nel pugno. Non tentò piú di concentrarsi: pronunciò senza esitare alcune preghiere che, se da una parte erano vuote e prive di precisi riferimenti al morto, dall'altra avevano il vantaggio del carattere universale e di poter essere dette a memoria, senza tema di trascurare alcunché di importante, che non poteva certo sfuggire alla Chiesa, nobile autrice delle preci.

Uscí dal cimitero, ritrovò la ottoecinquanta. Montò su, mise in moto, uscí a marcia indietro, penetrò nel traffico strombazzante e venne ingoiato subito dai vortici dell'immenso fiume di latta che, in quelle prime ore della sera, straripava per tutte le vie della città e si perdeva nelle campagne intorno, dov'era già notte.

Era meglio pensare ad altro. Ma ad altro non pensò, perché non pensò a niente o pressappoco. A casa compí il rituale di ogni sera e questo – come sempre – culminò col regolare la sveglia alle sei e trenta e col clic dell'interruttore della luce.

Notte fuori, buio nella camera da letto, nero sotto le palpebre chiuse di Giovanni e della signora Amalia.

I giorni passarono, gli uni eguali agli altri.

L'ufficio con l'odore della brillantina solida Linetti; talvolta la Loggia massonica con qualche profano da illuminare; un paio di volte al mese in Questura per l'identificazione dell'assassino; ogni tanto una scappatina alla baracca dello stagno, ma cosí, per vedere se per caso non fosse andata a fuoco, non per pescare.

Anche in casa le solite cose, tranne qualche lieve cambiamento: per esempio Giovanni non cucinava piú. Al ritorno dall'ufficio passava in rosticceria e comprava supplí, un po' di formaggio e qualche rosetta. Era un sistema piú comodo e non c'erano piatti da lavare.

Il frigorifero da un pezzo non funzionava e, in un certo senso, fu proprio l'elettrodomestico che portò a quella lieve modifica del ménage casalingo. Infatti il puzzo sprigionato dal frigidaire guasto, centuplicò di intensità nella stanza dopo che incidentalmente si rovesciò a terra il contenuto di una intera busta di latte. Giovanni si innervosí a tal punto che non volle piú mettere mano a nulla, non toccò niente e lasciò andare ogni cosa in malora.

In definitiva il tran tran era sempre lo stesso, in attesa paziente che arrivasse il giorno e l'ora di inoltrare la pratica di pensione presso la Corte dei Conti. Col tempo sarebbe riuscito a maturare qualche scattino, lire in piú che, messe in pentola, facevano brodo.

Il dottor Spaziani, i colleghi d'ufficio, i fratelli massoni dimenticarono le disgrazie di Giovanni e ricominciarono a trattarlo come uno qualsiasi. D'altra parte egli non sembrava portarsi dietro in modo evidente i segni della tragedia. Aveva reagito da vero uomo, non aveva perso la testa, stava tirando avanti con grande dignità.

Giovanni solo conosceva i segreti del suo animo. La naturalezza con la quale avevano ripreso a considerarlo lo disturbava. Potevano veramente credere che egli era lo stesso di sempre? Avrebbe potuto un uomo come lui lasciarsi intrappolare cosí dalla vita, come se niente fosse stato?

In un primo momento Giovanni si era illuso di essere in qualche modo risarcito; non sapeva né come né quando, ma conosceva bene il perché. E allora, dentro, come uno zabaione, gli montava una specie di corpo estraneo, una forza irrefrenabile che aveva bisogno di esprimersi.

Ma era troppo baccalà per dare seguito ai suoi istinti che, invero, sortivano dalla testa piú che dalle viscere.

Quando in ufficio gli impiegati erano assiepati intorno a Toti per il caffè e parlavano di politica o di cronaca nera, Giovanni non solo era diventato l'esempio vivente della vittima, ma egli stesso – assunto d'autorità ad autorità nel campo – interveniva con una saggezza che essi potevano attribuire solamente ai santi. La pacata consapevolezza di Giovanni, accompagnata da un notevole potenziale di violenza, lo svelarono agli occhi dei suoi colleghi in tutta la sua aggressività.

Ma, profondamente, era un buono e lavorando faceva il suo dovere.

Tutto come prima, quindi, nell'animo di Giovanni, ma anche tutto diverso. Dal di fuori si poteva appena notare la prepotenza per la quale gli veniva attribuita una priorità d'indennizzo. Niente di più. E quest'abito lo portò abbastanza bene: un po' imbronciato, le spalle diritte sotto l'imbottitura curva della giacca; l'aria a tratti persa, come toccato dalla grazia.

Però man mano che il tempo passava lo additarono sempre di meno ed egli si sentiva cancellare. Le spalle si incapsularono di nuovo all'interno della giacca, la faccia si invecchiò e riprese il colore sbiadito dei tempi passati.

Nel cuore del pomeriggio di un ventisette novembre, a casa Vivaldi il telefono scampanellò d'improvviso come un pazzo. Giovanni stava dividendo i soldi dello stipendio che aveva ritirato proprio quel giorno: vitto e alloggio, benzina e meccanico, cambiali.

Con i pochi quattrini destinati alle «varie» ancora in mano, andò a rispondere. Il maresciallo Ciappi lo convocava subito in Questura per un ennesimo riconoscimento.

Giovanni si avvicinò alla signora Amalia che sonnecchiava nel buio del corridoio sulla sedia di vimini e la destò con qualche colpetto sulla spalla.

«Devo andare», le disse.

Raccolse da un cabaret di cartapesta una delle due pastarelle e la poggiò sulle labbra della moglie. Amalia masticò il bigné con un po' di fatica e non poté trattenere la crema che le straripò sul mento: per fortuna, dalle labbra si affacciò la lingua puntuta che ripulí alla meglio tutto intorno. Con un tovagliolo di carta il marito compí l'opera di pulizia.

Fu la volta di Giovanni di infilarsi in bocca un intero diplomatico e, come se la dentiera non bastasse, chiamò il dito in ausilio.

Andò a prendere l'impermeabile, afferrò l'ombrello, le chiavi della macchina, intascò i soldi dello stipendio, verificò documenti e patente, trovò fra i calzini un fazzoletto nuovo, si accertò di avere le chiavi di casa, staccò l'interruttore della luce, prese da sopra il comodino la «Settimana enigmistica», la matita e gli occhiali, baciò la moglie in fronte ed uscí.

Di fuori, davanti al portone, alzò la testa e vide brutti nuvoloni neri che si precipitavano a chiudere i pochi varchi del cielo rimasti azzurri. Tutto divenne grigio subito, il mondo s'appiattí.

«Siamo sicuri che tra questi signori c'è il galantuomo che stiamo cercando! Voi diteci chi è e al resto ci penso io!...» Detto questo il maresciallo Ciappi si scostò e lasciò che i sei testimoni avessero modo di concentrarsi e di ricordare.

Giovanni riconobbe l'assassino nel terzo individuo, partendo da sinistra.

Era lui, senza il minimo dubbio. Il cuore di Giovanni si scosse tutto.

Gli altri testimoni, forse perché ormai era passato troppo tempo, o forse perché si erano assuefatti a quel genere di test, non reagirono, come se avessero subíto una sorta di vaccinazione.

Ma Giovanni riconobbe l'assassino, a lui avevano ucciso il figlio, agli altri no. Dentro di sé quel viso si era costituito come un organo vivente, come la milza, il fegato, il cuore; dentro agli altri non c'era niente.

Lo rivide ghignare, urlare ai suoi compagni. Il terzo da sinistra era il criminale, in persona, quello a cui era scivolata dal viso la benda che lo nascondeva.

In persona. Era giovane, dell'età forse di Mario. Ma doveva essere fatto di ferri arrugginiti e di fondi di caffè: giungeva le mani all'altezza del sesso come un calciatore quando fa la barriera. Sbatteva gli occhi alla luce dei riflettori e ogni tanto girava la testa.

Giovanni fu afferrato alla gola da una paura irragionevole, ingiustificata quanto si vuole, ma non poteva impedirsi di tremare dal terrore; se avesse posseduto una coda l'avrebbe attorcigliata tra le gambe e nascosta sotto i calzoni.

Il maresciallo Ciappi guardava verso la platea immersa nel buio in attesa che da là provenisse un qualsiasi segno di vita. Percepí solo il brontolío stridente delle sedie sotto il peso irrequieto dei testimoni.

L'assassino, in carne e ossa, stava in piedi sul piccolo palcoscenico a recitare la parte del cattivo. Aveva tiranneggiato come gli era parso e piaciuto; ucciso, anzi massacrato i suoi sudditi e fatti seppellire nelle fosse comuni, dopo averli dissanguati con tasse e ammende; avvelenato il principe buono e sedotto la sua gracile fanciulla; aveva usurpato il trono al re in carica e si era seduto al suo posto, lui, con quella bocca lussuriosa, con quelle mani insanguinate: solo per divertirsi – cosí, un passatempo come un altro – aveva ammazzato Mario e poi se ne era tornato a casa, un po' ubriaco.

Era arrivato l'ultimo atto. L'usurpatore e i suoi fedeli venivano catturati, l'ordine ristabilito; il re buono tornava al suo trono.

La commedia si serrava tutta in quel finale a senso unico: il sipario stava per calare sul trionfo della Giustizia e la Giustizia chiedeva la testa del tiranno.

La polizia ricercava l'assassino di Mario, l'aveva trovato e lo metteva sotto il naso di Giovanni. Questi erano i fatti.

Ma Giovanni vedeva solo chiazze, macchie di fatti, trasparenti, come beghe di santi in Paradiso.

La paura, la tremarella che lo possedeva era la stessa che avrebbe accusato al cinema, vedendo magari il piú terrificante tra i film del terrore, ma al cinema!

Nella stanzetta della Questura centrale si spensero i

riflettori, si accesero le lampadine e Giovanni ebbe almeno il buon gusto di non applaudire.

Ma perché non applaudí? Semplicemente perché la commedia non era terminata: la pellicola s'era rotta prima dell'ultima scena e siccome ormai tutti potevano immaginare come sarebbe andata a finire, l'invisibile proiezionista aveva deciso di rimettere tutto nelle scatole e di smontare dal lavoro.

Forse Giovanni pretendeva che nel preciso istante in cui riconosceva il criminale il maresciallo estraesse la pistola e lo fulminasse? No, la Giustizia doveva fare il suo corso e toccava a Giovanni metterne in moto i meccanismi burocratici: la denuncia, la verifica degli alibi, l'istruttoria, il processo, gli appelli, eccetera, fino alla Condanna: l'ergastolo, la meno spettacolare di tutte, ma pur sempre una grave punizione.

Ma di fatto, dopo che le luci si furono riaccese, proprio come al cinema, i testimoni oculari si alzarono dalle sedie e, guardando gli orologi, già si proiettavano in avvenimenti immediatamente prossimi.

Il maresciallo, nel quale la sfiducia si era trasformata in pregiudizio, non fece neanche la solita domanda di rito, se ne andò.

Giovanni vide le persone muoversi accanto a lui, senza alzarsi in piedi. Rispondeva ai saluti, ai sorrisi, completamente incapace di balbettare parola.

Tutto si era svolto a una velocità tale che il poveretto non ebbe il tempo di riparare alla meglio le valvole che gli erano saltate nella testa. E cosí – via sospetti, testimoni e assassini – si ritrovò tutto solo nella stanza, seduto ancora su quella sedia che sarebbe stata indubbiamente piú efficace se avesse avuto le rotelle.

Catapultato dalla dinamite si alzò. Uscí di corsa e raggiunse la strada.

Il terzo da sinistra, di cui neanche conosceva il nome, uno degli assassini di suo figlio, aveva già o stava per avere sotto i piedi un mondo enorme tutto da percorrere, in automobile o a piedi, sui verdi prati, tra boschi sconfinati, lungo spiagge hawaiane, sotto il cielo di un migliaio di stagioni.

Lo vide all'angolo di via Nazionale aspettare l'autobus. Col cuore che gli batteva a stantuffo dai piedi alla testa salí nella macchina e mise in moto.

Percorse pochi metri e si fermò in un punto da dove poteva controllare le mosse dell'assassino.

Arrivò il primo, il secondo autobus, ma quello prese il terzo. Giovanni dietro, fermata dopo fermata.

Uno scricchiolío sinistro dell'aria – come se impalcature che tenevano il cielo avessero ceduto da un lato – dette l'avvio al temporale; un fuggi fuggi da coprifuoco fece scomparire in un attimo tutti i pedoni.

Sugli asfalti delle strade e sui palazzi scivolarono in un attimo fiumi d'acqua piovana. Giovanni azionò i tergicristallo e appuntí gli occhi sporgendosi in avanti per non perdere di vista l'autobus.

Questo, fatalmente, stava riportando Giovanni verso casa, aveva imboccato la via Tuscolana e il criminale ancora non era sceso.

Dopo qualche sorpasso coraggioso e indisponente la ottoecinquanta si portò a ridosso del bestione verde della Stefer: da sotto le ruote del torpedone schizzavano a mitraglia ettolitri d'acqua che andavano a spumeggiare nel cristallo dell'utilitaria. Giovanni non vedeva quasi piú niente, si limitava a pigiare sul freno ogni volta che nel parabrezza gli pareva di vedere le luci rosse dell'autobus accendersi.

Alle fermate si fermava, abbassava il finestrino e metteva fuori la testa, incurante dell'acquazzone, per controllare i movimenti dell'assassino. Quando le portiere dell'autobus emettevano il caratteristico soffio di chiusura tirava dentro la testa, chiudeva il finestrino e si asciugava in fretta il viso col fazzoletto.

E cosí per tutto il tragitto, fino al capolinea, proprio a pochi isolati da casa sua. Scesero dall'autobus i passeggeri rimasti, tra i quali anche l'assassino.

Se tra lui e il criminale non ci fossero stati screzi cosí profondi forse Giovanni lo avrebbe cortesemente accompagnato a casa, visto che abitavano tanto vicino.

Il giovane delinquente prese a correre e riparò in un portone poco lontano dal capolinea. Giovanni si fermò dall'altra parte della strada e spense il motore per timore di restare senza benzina.

La pioggia, piuttosto che placarsi, aveva stabilito uno standard di caduta, l'urto contro l'asfalto seguiva un'unica nota, come di corno soffiato da polmoni sfiatati.

Giovanni stava chiuso dentro la sua utilitaria, con la faccia appiccicata al vetro dello sportello a guardare in direzione del suo uomo.

Questi si decise e scappò via, infilandosi di volta in volta dentro qualche androne. Giovanni riaccese il motore e si mise alle sue calcagna. Portone dopo portone l'assassino arrivò a casa sua: un palazzo nuovo nuovo, ancora per metà disabitato, accanto a Upim, proprio di fronte all'abitazione di Giovanni.

Il giovane salí le scale a tre a tre e scomparve.

L'inseguitore frenò davanti a quella casa, spense il motore e aspettò.

«Abita proprio di faccia a casa mia! – pensò. – Guarda come deve essere la vita!»

Scivolò giú dal sedile lentamente per vedere le finestre del proprio appartamento: erano chiuse e la pioggia vi sbatteva sopra quasi con rabbia.

Amalia stava lí dentro, la sua fedele sposa, il fiorellino che aveva tenuto all'occhiello per tutta quella parte della vita che contava; ora aveva messo i semi, si era ir-robustita nelle fibre ma nella sua immobile saggezza sapeva come affrontare la morte. Stava rinchiusa tra le mura di quella sacrestia con lo spirito di chi ha lasciato tutti i suoi beni in eredità, aveva ricevuto l'estrema un-zione e ora aveva scelto il silenzio.

Giovanni fissava le finestre chiuse della sua casa e le vedeva lampeggiare sotto le raffiche della pioggia, co-me fossero di velluto e spettinate dal vento.

Una volta spento il motore la vettura rapidamente cominciò a congelarsi, le lamiere e i vetri a trasudare il fiato di Giovanni. Egli disegnò una finestrella sul vetro appannato per poter osservare il portone della casa dell'assassino.

Si fece sera in un baleno, saltando di sana pianta la pagina del tramonto, cosí raro d'altronde in quel quar-tiere e comunque impossibile con quel tempo dannato.

Giovanni tirò su il bavero dell'impermeabile e ogni tanto sbatteva i piedi nella pozzanghera d'acqua che, goccetta qua goccetta là, si era formata sul pavimento di gomma. E cosí tutto rattrappito dentro l'utilitaria pensò a Noè, mentre fuori imperversava a dirotto il temporale.

Le ossa incominciarono presto a punzecchiarlo sulla schiena e sui fianchi: si sentiva un roveto spinoso.

Il sedile accanto, qua e là sconquassato, il cruscotto scalfito, la manopola del cambio consumata, gli tene-vano compagnia perché raccontavano il romanzo della sua vita in quegli ultimi anni. Quella era una seconda casa, di proprietà di Giovanni, avuta con tanti sacrifici e sacrificata per essergli utile: lo aveva portato sempre da casa all'ufficio per poi ricondurlo di nuovo a casa; lí, dentro l'automobile, aveva pianto nel trasferirsi da una disgrazia all'altra, aveva riso tra due momenti di gioia, aveva sognato da una tappa all'altra del suo lungo viaggio, che davanti al portone dell'assassino non era ancora concluso. Era stata il suo fedele cagnolino e come i cani vivevano per il padrone nella piú completa astrazione dai suoi problemi, cosí essa era a sua disposizione, ma non poteva certamente consigliarlo: taciturna e umile come Amalia, come lei amorevole e distaccata.

Queste erano le presenze che Giovanni aveva accanto e dall'altra parte un mucchio di gente di buona volontà. Il dottor Spaziani che si era spaccato in due per aiutarlo, i colleghi, il professore retore, sempre pronto con i suoi consigli a sminuire i problemi, ad inserirli in piú ampi contesti che riguardassero l'uomo in generale e le virtú nascoste, tutti questi amici potevano fare molto per lui – e l'avevano anche fatto – ma in loro c'era quel non so che di occasionale, di accidentale che non dava sicuro affidamento.

La ottoecinquanta non offriva molto, ma quello che poteva lo dava tutto. Ora lo aveva accompagnato nell'inseguimento dell'assassino con la stessa riverenza con cui se ne era rimasta buona buona parcheggiata davanti a Upim la famosa mattina della sparatoria al Monte di Pietà.

Giovanni allungò il braccio verso lo specchietto retrovisore e spinse l'interruttore della piccola luce interna; cavò fuori dalla tasca dell'impermeabile l'enigmistica e dal taschino della giacca occhiali e matita. Si dedicò cosí alle parole incrociate, guardando ogni tanto, da sopra gli occhiali, in direzione della casa a cui faceva la guardia.

Con l'arrivo della mezzanotte la pioggia scemò e si arrestò del tutto nelle ore piccole.

Giovanni vide un'ombra uscire sveltamente dal portone. Accese gli abbaglianti e li riabbassò subito perché riconobbe in quella figura l'assassino. Dove andava a quell'ora della notte?

Il giovane si accostò a una macchina sportiva, cercò nella tasca del cappotto la chiave, entrò e girò la chiavetta. Il motore doveva essere freddo o un po' di pioggia era finita nello spinterogeno.

Prova e riprova, niente da fare.

Quei tentativi di far partire la vettura risuonavano nel silenzio e l'eco sembrava alzarsi e rimbalzare sopra le terrazze e i lavatoi delle case.

Giovanni guardava da dentro la sua buona Fiat, selezionando nella mente le ragioni di quel guasto.

Il giovane criminale scese dalla vettura, sollevò il cofano e toccò qua e là il motore.

Anche Giovanni uscí dalla macchina, sollevò anche lui il suo cofano, afferrò il martinetto, lo nascose sotto l'impermeabile e si avvicinò all'assassino.

«Che è successo? Posso aiutarla?»

Il criminale si voltò e i suoi occhi videro appena un balenio di riflessi. Sentí coprirsi il volto di sangue e perse i sensi.

Giovanni aveva colpito giusto, tra la fronte e la tempia.

Si affrettò a ritornare presso la sua macchina, gettò dentro il martinetto, mise in moto, percorse i pochi metri che lo separavano dall'assassino, spense motore e luci, scese di nuovo, prese per le ascelle il corpo del giovane e, con una forza che non sospettava di possedere, lo trascinò e riuscí a riversarlo bocconi, metà fuori e metà dentro, sul sedile posteriore.

Gli tolse, pasticciando, il cappotto e, spingi spingi, riuscí infine a sistemarlo bene dietro. Lo ricoprí con il suo stesso pastrano, chiuse la portiera, risalí, mise in moto e partí, un po' a singhiozzo, ma partí.

La ottoecinquanta scoppiettando e traballando imboccò una strada minore che portava fuori città.

Corri corri, la benzina stava per finire: la spia rossa non accennava piú a spegnersi.

«Tra un po' dovrebbe esserci un benzinaio aperto», pensò Giovanni mettendo in folle il cambio a ogni piú lieve pendío della strada.

Di lí a poco vide la luce accesa di una stazione di servizio, lontano, oltre una curva. Frenò la macchina e uscí lentamente di strada fermandosi sotto un albero. Scese, prese dal portabagagli una piccola damigiana di plastica e fece per avviarsi a piedi verso il distributore. Invece non mosse un solo passo.

«E se rinviene?» pensò ingoiando e roteando gli occhi all'interno delle orbite.

Per maggior sicurezza afferrò il cric e lo scaraventò un'altra volta sulla testa dell'assassino che, in verità, non dette segni di reazione. Tranquillamente ormai Giovanni ripose il martinetto e si mosse.

Fece il pieno della damigiana e ritornò alla ottoecinquanta. Versò il carburante nel serbatoio e ripartí di gran filata.

Corri corri trovò il bivio che cercava, girò senza mettere la freccia e cominciò il ballo di San Vito: la strada di terra battuta era tutta infangata e ogni tanto pietroni colossali sbattevano sotto la vettura, aprendo paurose ferite nella lamiera.

Finalmente Giovanni vide la luna riflettersi nello stagno: era arrivato, la sua baracca sarebbe apparsa da un momento all'altro e cosí fu.

La vide, imboccò un sentiero erboso e dopo un po' la raggiunse. E pensare che da quella capanna avrebbe voluto un giorno tirar fuori un villino! Ma chissà, tutto, tutto può succedere a questo mondo!

Portò dentro il corpo insanguinato dell'assassino, accese qua e là sei o sette candele.

Sentí l'improvvisa urgenza di pisciare, solo ora si accorgeva di essersi trattenuto anche troppo a lungo: varcò gli infissi dell'armadio sfondato e dietro la copertaccia, tra sospiri e brividi, rilassò i muscoli della vescica e lasciò che questa si svuotasse fino all'ultima goccia. Un sussulto da pelle d'oca e saltò fuori che si sgrullava ancora.

Il giovane animale respirava e ogni tanto emetteva un lieve brontolío. Giovanni lo aveva lasciato per terra proprio davanti alla porta, dopo averla chiusa a chiave.

Afferrò una sedia e la poggiò contro una trave centrale che partiva dal pavimento per sorreggere il tetto. Tirò fuori da sotto la branda la cassetta dei ferri e si armò di pinze. Raccolse dal chiodo che era piantato su un'altra trave una ruota di fil di ferro.

Poi compí l'ultima gran fatica: trascinò per le braccia il corpo dell'assassino e tanto fece che riuscí a metterlo seduto sulla sedia. Gli legò quindi col fil di ferro mani e piedi, rispettivamente ai braccioli e alle gambe della sedia. Passò e ripassò il filo diecine di volte e piú strettamente possibile, tagliò con le pinze e annodò.

Terminata questa operazione, ne iniziò una seconda piú delicata: si sciacquò per benino le mani, le asciugò con cura e da sotto il giaciglio pescò la cassetta del pronto soccorso. Alcool e ovatta a volontà, con santa pazienza riportò dal sangue alla luce – come un restauratore d'arte – il volto dell'assassino.

Eh, sí: era proprio lui.

Affrontò anche le ferite della testa: due brutti tagli, ma non tanto profondi. Anche lí alcool a piú non posso, quindi garza e cerotti.

Intanto si stava facendo giorno. Giovanni aprí la porta e guardò la natura. Ma da vedere c'era soltanto la nebbia fitta e leggera che si concentrava tutta nella zona dello stagno.

Quella boccata d'aria campagnola gli fece subito bene, lo rianimò. Buttò un'occhiata dentro e vide il giovane assassino lontano dal piú miracoloso dei rinvenimenti; scosse un po' il capo, sbatté le ciglia, uscí fuori e chiuse la porta a chiave.

Rientrando nella ottoecinquanta fu lievemente accarezzato dal tepore che si era conservato all'interno; il motore era ancora caldo e partí al primo colpo.

Il bazar – cosí lo chiamavano tutti – non era molto lontano, bisognava uscire dalla provinciale e poi girare ancora a sinistra; una specie di chiosco casa-bottega dove vendevano di tutto, dai ferri di lavoro alle sementi, alla frutta, al pane e c'era anche un banconcino da bar. Era un'oasi in mezzo alla desolazione, quelli che si fermavano lí venivano tutti o in bicicletta o con i motorini.

Quando Giovanni fermò l'automobile nello spiazzo, dalla porta sciancata del locale fuggí una piccola banda di ragazzini che ogni mattina si formava lí per prendere insieme l'autobus. A Roma si sparpagliavano, nei cantieri, nei negozi dove facevano i garzoni, nelle officine meccaniche, nei mercati a pulire il pesce.

La ciurma degli ometti quasi travolse Giovanni ma lo perse subito. Arrivata sulla strada si distese in fila indiana lungo la cunetta e marciando cominciarono a cantare a tutta gola un motivetto dello *Zecchino d'oro*.

Entrato nel bazar Giovanni fu piacevolmente accolto dagli odori acidi del caffè e della segatura; i pochi avventori al banco del bar per lo piú tossivano e sputavano dopo essersi per benino raschiato il gargarozzo. Giovanni si fece confezionare un panino col formaggio e si sedette in un cantuccio, da dove chiese anche un cappuccino bollente.

Consumò la colazione osservando – tra il prete caritatevole, l'artista attento ai fatti della vita e l'esperto di fenomenologia – tutto quel che avveniva intorno a lui. D'altra parte a sé, in quel momento non se la sentiva – ed era anche stanco – di pensare e poi il materiale umano che usciva ed entrava nello spaccio si lasciava guardare per quello che era nella sostanza, cosí lontano, in fondo, dai moderni processi della civiltà. Era, per lui, la passerella degli spettri di cinquant'anni prima: gli esemplari di una razza sopravvissuta nei secoli e destinata all'estinzione.

Gratta gratta, Giovanni, nella misurazione del microcosmo del bazar, sapeva di guadagnare sugli altri almeno qualche centimetro, o, per dirla in altri termini, almeno qualche decennio in piú di civiltà.

Si era fatto tardi, doveva andare. Pensò all'ufficio e anche alla povera signora Amalia, rimasta senza cena e senza colazione.

Tornando verso la baracca a tutto gas ebbe agio di notare che il paesaggio non cambia solo per le stagioni o per i capricci del tempo, dipende anche dallo stato d'animo dell'osservatore, dalle condizioni della sua salute, dalla velocità con cui gli scorre davanti.

Giovanni si trovava in una condizione particolare da non poter percepire la fantasmagoria della natura. Cosí ci passò nel bel mezzo rimanendo incastrato fra le lamiere della sua utilitaria, con gli occhi fissi agli accidenti della mulattiera.

Lo ritrovò ancora lí – nella crudezza della realtà e non nella vaghezza del sogno – legato col fil di ferro alla sedia, proprio come lo aveva lasciato lui: la testa era abbandonata sul petto, il respiro pesante.

Sentí il bisogno di toccarlo, si avvicinò e gli sfiorò i capelli.

Guardò l'orologio, era proprio tardi, fu preso all'improvviso dalla fregola: l'ufficio.

Estrasse dalla tasca dei calzoni il fazzoletto bianco, lo svolse e lo riuní tutto nella mano, aprí la bocca del giovane criminale e glielo infilò dentro facendo forza col pollice. Tagliò quindi una cinquantina di centimetri di altro fil di ferro e lo avvolse intorno a quel volto facendolo scorrere nella bocca aperta. Dietro la nuca annodò con la pinza e strinse, strinse bene. Controllò alla meno peggio che ogni cosa fosse in ordine, uscí e chiuse a chiave con tutte le mandate concessegli dalla serratura.

Infilò la chiave in tasca e raggiunse l'automobile.

«Farò tutta una corsa».

Arrivò in ufficio con notevole ritardo e la scusa fu la salute della moglie. Non aveva in effetti detto una bugia perché prima di andare al lavoro era passato dalla signora Amalia per portarle qualcosa da masticare.

Il dottor Spaziani volle bere quella giustificazione e un po' a muso duro gli posò sul tavolo una bella manciata di pratiche.

Giovanni afferrò la prima, constatò la presenza dello stato di servizio, delle foto e di tutti i documenti necessari del pensionando di turno, poi, carta e penna, scrisse: Il signor tal dei tali ha diritto al trattamento di quiescenza per cui gli vengono corrisposti gli emolumenti come previsto dall'incartamento, secondo quanto registrato presso la Corte dei Conti con bollettino numero 74281043 barra eccetera.

Lavorava e pensava con nostalgia a quando, ancora alle prime armi in quell'ufficio, invece di scrivere «emolumenti» si sbagliava e scriveva «monumenti», credendo il termine allusivo di simbolici riconoscimenti morali.

Ne era passata di acqua sotto i ponti! Quante cose erano successe in tutto quel tempo! Eppure era ancora lí, involontariamente ostinato, a compiere quei soprannaturali doveri di animale.

Si meravigliò ben presto della mole di lavoro che stava portando avanti, quasi con giovanile vigore e, nonostante la notte passata in bianco, riconsegnò prima del previsto al dottor Spaziani tutte le pratiche, col corredo dei dati richiestigli e relativi controlli del bonifico e della liquidazione di ogni cartella.

«Caro Vivaldi, tra poco toccherà a te e questa sezione perderà una vera colonna! La vecchia guardia se ne va via tutta! Non lo so proprio dove andremo a finire!» disse Spaziani a Giovanni facendo din don con la testa, con un sorriso amaro sulle labbra e un sinistro godimento negli occhi.

Dall'ufficio, prima in rosticceria e poi a casa, a nutrirsi e a nutrire la signora Amalia.

Questa sembrava essersi stabilizzata: non migliorava, ma neanche peggiorava.

Giovanni tra un boccone e l'altro raccontò alla moglie di aver catturato l'assassino di Mario e di averlo portato in campagna. Ancora non sapeva bene cosa fare, ma aveva tempo per decidere. Mangiò svelto svelto perché voleva raggiungere al piú presto la sua preda.

La signora, nella prigione di quella carne paralizzata, si limitava a far ballare gli occhi, a parlare con i vocaboli di un alfabeto Morse. Il marito, non attendendosi interlocuzioni, continuava il racconto senza guardarla in faccia.

In casa non si accorgeva piú di nulla perché da quelle quattro mura e da chi vi stava dentro – compreso se stesso – non si poteva aspettare sorprese, né in bene né in male, dopo che le cose erano cambiate ed egli vi si era adattato come il piede in una scarpa nuova.

Giovanni uscí, inforcò la ottoecinquanta e via, in campagna.

Ripercorse la strada che aveva fatto la notte prima all'andata e quella mattina stessa al ritorno.

L'automobile filava liscia sulla copia carbone della

provinciale, con la quale Giovanni stava già trovando un certo affiatamento.

«Tra poco il casello del dazio; qualche chilometro: il benzinaio, dopo la curva lo stop; dietro il cimitero la salita...»

Andava avanti cosí, traguardo dopo traguardo, con le mani sciolte sul volante, con la spalla appoggiata al finestrino, mentre le ombre degli alberi e delle colline prendevano il colore della terra e la luce del cielo, imbrunendosi, diventava azzurra.

E correva tra i boschetti, nelle pianure, in mezzo ai bitorzoli delle terre incolte, scortato dal monotono scoreggío del motore.

E su di lui si abbattevano senza colpirlo, come bambini scherzosi, i cartelli stradali, le cabine elettriche, le aste sollevate dei passaggi a livello, le fronde martoriate delle piante lungo i margini.

Da piú lontano, affossati nella terra, sopravvenivano flemmatici gli strumenti agricoli ricoperti di ruggine, i cascinali e le case coloniche, qualche vacca anemica: e tutte le cose sembravano andare verso Roma, poggiate su nastro trasportatore da presepio e portate via, piano piano.

Quando fermò la macchina davanti al baraccamento di sua proprietà tutto si fermò intorno a lui. Scese e sentí subito il cuore che a calci sullo sterno gli chiedeva di ritornare indietro.

Restò fermo a fissare la porta della capanna e fece mente locale della situazione.

Non esitò: raccolse da sotto il sedile il martinetto e dalla tasca la chiave. Aprí, entrò col gomito davanti agli occhi come a proteggersi da un improvviso crollo della baracca.

L'assassino c'era ancora, naturalmente, sempre ben legato alla sedia, ma quest'ultima non stava piú al suo posto: il giovane, in un momento di coscienza, si era proteso in avanti e aveva fatto un capitombolo; quindi era riuscito a trascinarsi per qualche metro, con la sedia appiccicata addosso come la casetta di una tartaruga. Di piú non aveva potuto fare e ora giaceva con la febbre a quaranta, privo di forze, bocconi, in mezzo a barattoli di vernice secca.

Giovanni si avvicinò con cautela, forse eccessiva data la disparità di forze.

L'assassino sussultò d'improvviso facendo rumore con la bocca. Riaprí appena gli occhi per vedere un altro balenio di riflessi uguale a quello che gli aveva coperto di sangue il volto e fatto perdere i sensi la prima volta.

Giovanni aveva colpito di nuovo, giusto in piena faccia; un fiotto di sangue gli coprí la mano. Non se ne curò, afferrò la sedia per le gambe e la trascinò accanto al palo, dove stava prima; la rimise in piedi e si macchiò la giacca e un po' la camicia. Dal naso fracassato del giovane criminale usciva sangue rosso puro.

Giovanni tagliò ancora un buon metro di fil di ferro e prese il giovane alla gola, gli inchiodò la nuca alla trave con tre, quattro giri intorno al collo. Annodò dietro ben stretto con le pinze. E piú girava e piú il volto dell'assassino si gonfiava, strozzato nelle vene del collo dal fil di ferro. Finalmente si fermò.

Il giovane stava soffocando, poteva appena respirare dal naso, il sangue gli andava di traverso e dalle narici si formavano palloncini rosa; la tosse non trovando via d'uscita tentava un varco negli occhi.

Giovanni, ovatta e alcool, gli pulí le mucose e allentò anche, appena appena, la stretta del filo.

La faccia dell'assassino aveva preso un colore disumano, era un continuo dissolversi e apparire di macchie gialle, viola e blu oltremare; le narici si dilatavano a tal punto da trasformarsi, nelle inspirazioni, in membrane sottili; i condotti dell'apparato circolatorio della testa erano in rilievo e si mostravano in tutta la loro complessa organografia; i capillari degli zigomi e delle tempie esplosero all'interno formando un grande livido. Di colpo, convulsioni, sussulti incontrollati solleciti come da corrente elettrica. Finalmente la stabilizzazione: privo di sensi lentamente sembrava riprendere un certo aspetto umano.

Giovanni emise un respiro profondo e pensò un po' a se stesso: le mani impastate di sangue, la giacca sporca e la camicia macchiata. Con calma avrebbe pulito ogni cosa per benino.

Tolse la giacca, prese una spugna vecchia, la lavò e la strofinò sull'indumento. Mise ad asciugare sopra la branda. Smacchiò come poté anche la camicia, senza togliersela di dosso.

Si dette daffare, quindi, per mettere un po' d'ordine in quel deposito di immondizie, come una brava massaia. Inchiodò bene le zampe rotte di un tavolino e quelle di un panchetto.

Seduto, inforcati gli occhiali, fra le mani matita e «Settimana enigmistica», s'impegnò di muso buono a risolvere rebus e sciarade.

Qualche suo colpetto di tosse ogni tanto, il respiro sforzato dell'assassino e il tic tac dell'orologio a pile erano gli unici segni di vita.

Passò qualche giorno, passò qualche notte. Ufficio e casa, con la trepidazione. Notti e giorni senza una data, vuoti.

La volta appresso entrò sicuro nel baraccamento, richiuse, si avvicinò all'assassino: respirava; si calò sulle pinze e dette piano piano un altro mezzo giro al nodo del fil di ferro che strangolava il collo del giovane.

Il russare di questi dapprima si spezzò, poi riprese piú teso, piú lento e piú rumoroso.

Giovanni rispolverò in giro, dette una nuova rassettatina generale, sistemò vari oggetti portati da casa, sostituí il vecchio materasso di crine con uno nuovo di Permaflex.

Un riposino di dieci minuti sulla branda. Il cambio delle pile elettriche dell'orologio, un salutino e via, a casa.

Cosí andò avanti ancora per un po' di tempo. L'assassino non crepava.

Da un certo momento in poi, quella che prima era l'andata verso la campagna divenne in realtà il ritorno e il ritorno diventò l'andata.

Parlava sempre di meno alla moglie e sempre di piú all'assassino e a parlare era comunque sempre il solo.

Aveva perfino trovato amici occasionali al bazar.

Le giornate registravano una pacata normalizzazione: ufficio, casa e bottega. L'ufficio era sempre quello, dai tempi dei tempi, la casa era la bottega e la baracca di campagna la casa.

Quattro pratiche d'ufficio, un pranzetto e una cenetta leggeri leggeri e mezzo giro di pinza a stringere il fil di ferro intorno alla gola dell'assassino. La domenica riposo: con Amalia e le parole incrociate.

Un giorno, mentre Giovanni stava progettando di sistemare anche l'esterno della baracca con alberelli e piantine d'odori, il respiro della vittima si affievolí piano piano come un giocattolo che si scarica.

Il padrone di casa stava fuori, aveva fatto un piccolo giro di ricognizione; si accorse di non vederci piú, si stava facendo buio, rientrò.

Spazzolò gli abiti, infilò la giacca e prima di andarsene si avvicinò all'assassino, lo toccò: era freddo come una lamiera.

«È morto», disse subito fra sé.

Sentí le ginocchia mancargli, si lasciò cadere seduto sulla brandina dove rimase un bel pezzo prima di reagire. E reagí a forza di singhiozzi: pianse, pianse, dalla testa ai piedi.

Si sorprese con le lacrime nelle mani, sputacchiò nel silenzio le lagne conclusive, spense presto nei rancori segreti dello spirito quella passione indistinta che lo aveva trascinato ai piagnistei.

Non gli rimase che una sola cosa da fare, la piú normale di questo mondo.

A notte fonda tagliò con le pinze il fil di ferro che legava il cadavere alla sedia e al palo.

Uscí, dopo essersi fatto piccolo piccolo come una formica, e andò presso la riva dello stagno a fare un bel buco.

Poi rientrò e trascinò per i piedi il morto fuori, fino a quel buco.

Prima di spingerlo dentro gli guardò il viso per l'ultima volta, piú bianco della luna che lo illuminava.

«Che strano, – pensò, – tutti vecchietti sembrano i morti... di qualsiasi età, tutti vecchietti».

E ricoprí frettolosamente con la nuda terra. Ci saltellò un po' sopra, allisciò come poté e via, a tutta velocità nella baracca.

Senza sapere di volerlo ricreò la confusione che c'era prima dell'avventura: rispezzò le gambe al tavolino e al panchetto, confuse la disposizione degli oggetti, capovolse barattoli e barattoletti, tolse le pile elettriche all'orologio.

Risalí nella ottoecinquanta piú con lo spirito di far fagotto del mondo che con la voglia di ritornare a casa.

Partí senza nemmeno riscaldare il motore; via di corsa tra i saliscendi traversi della mulattiera.

Faceva ancora notte, però il buio si era già annacquato e lasciava indovinare le prime verità del giorno che veniva: una ciocca nera di ciminiere in disuso e piú su, che girava intorno piano piano, uno scarabocchio di bicocche scure davanti alla spianata vuota dei primi cieli.

Le ossa al calduccio, la carne fredda, gli occhi bolliti.

Strada facendo, un po' ragionando e un po' sragionando, volendolo e non volendolo si convinceva sempre di piú di essere uscito incolume da una situazione che poteva anche degenerare.

Ma qualcosa gli rimordeva dentro: man mano che si allontanava dalla baracca si fissava di aver fatto un cattivo lavoro laggiú in riva allo stagno: non aveva per caso sotterrato il morto troppo in superficie?

Se un cane fosse passato da quelle parti gli sarebbero bastate poche grattate di zampa per riportare alla luce il corpo dell'assassino.

All'idea Giovanni si sentí morire, ma non poteva tornare indietro, non poteva proprio farlo, non ne aveva la forza, e poi doveva andare in ufficio.

«Ecco, farò una scappata in questi giorni, il piú presto possibile, quando sarò piú calmo... un lavoro sicuro al cento per cento!»

Andò in ufficio che ancora non si dava pace. Nell'ascensore una mano ossuta lo scosse alle spalle richiamandolo alla realtà.

«Ciao Vivaldi». Era un tipo cadaverico, con le borse agli occhi che gli scendevano come due pendagli sulle guance.

«Ciao Supino, come stai?»

Quello scosse il capo, come a dire: «Una catastrofe!», poi si avvicinò all'orecchio di Giovanni e sussurrò:

«Mi scade una cambiale!»

E studiò la reazione del collega, speranzoso e disperato nello stesso tempo.

Giovanni aveva quel giorno tanti cavoli per la testa che non se la sentiva di affrontare nei modi consueti i colleghi d'ufficio: dicendogli di pensare alla salute al quarto piano uscí.

Non passò neanche da Toti per il caffè tanto era ansioso per quella brutta faccenda del sotterramento. In mezzo al formicolare degli impiegati si sentiva una patata.

Appena fu nella sua stanza, con smaccata serietà qualcuno gli disse:

«Il caposezione ti aspetta, è urgente!»

Giovanni, prima di bussare alla porta del superiore, esitò, in obbedienza ad una consuetudine di tanti anni:

strinse la cravatta al colletto, tirò giú in basso i lembi della giacca ad allungarla, si dispose alla disinvoltura.

Bussò, aprí la porta di quel tanto che bastava a infilare la testa.

«Chi è?» la voce del dottore.

«Sono io, Vivaldi!»

Il dottor Spaziani, dietro la sua bella scrivania, chino col naso sulla copertina nera di un quaderno, le mani in mezzo ai capelli grassi e scomposti, era tutto intento a far piovere la forfora.

«Vieni, vieni avanti!» lo invitò senza alzare la testa, sempre piú accanito in quell'operazione di pulizia.

Giovanni fece qualche passo guardando senza espressione e senza sentimento plausibile la capocciona scapigliata del capoufficio.

«Chiudi la porta!» ordinò quest'ultimo.

L'impiegato si affrettò ad obbedire e, insensatamente, si scusò con la porta.

«Oh, scusa!» le disse e la chiuse.

Si avvicinò quindi alla scrivania e si sedette davanti ad essa, un po' sperduto.

Il dottor Spaziani non si decideva ancora a sollevare il viso.

«Scusami, ma ogni tanto mi gratto la forfora... fa bene».

«Prego, prego!» rispose Giovanni e osservava, un po' vuoto, la nevicata di forfora che come un manto bianco andava a coprire il quaderno e trasbordava anche sul tavolo.

«Come va, Giovanni?» allungò la mano oleosa verso il subalterno.

Giovanni afferrò quella mano e la strinse un po' rinfrancato dal tono cordiale dell'amico superiore.

«Cosí, cosí! Mi hai mandato a chiamare?»

Finalmente il dottor Spaziani alzò la faccia.

«Una buona notizia, caro Giovanni! – disse sorridendo. – Da domani puoi cominciare a goderti la pensione!»

Giovanni non ebbe la reazione che poteva aspettarsi il dottor Spaziani. Sentimenti in contrasto tra loro lo aggredirono.

«Finalmente... sono contento!» si limitò a rispondere.

Spaziani, intanto, dopo aver preso bene la mira, allungò il dito medio sul tavolo e catturò un pezzo di forfora grosso quanto una moneta.

«Guarda questo pezzo quant'è grosso!» disse fissando la pellicola con amore e odio.

Giovanni sollevò il sedere dalla sedia e allungò il collo su quel dito teso per vedere meglio.

Il dottor Spaziani gettò con schifo la porcheria sotto il tavolo.

«Beato te, Giovanni! – disse malinconico sbattendo e risbattendo il quaderno sul bordo del cestino dei rifiuti. – Pensa che bello, te ne vai a spasso e, zac zac, ogni mese ti arrivano i soldi a casa... gratis!»

Giovanni mandò un sospirone indolente.

Il capoufficio tirò fuori dal cassetto un pettinino e rimise in ordine la capigliatura: intanto studiava il silenzio del subalterno.

«E allora? Non sei contento?»

Giovanni tentennò.

«In fondo mi dispiace lasciare l'ufficio, ci avevo fatto l'abitudine!»

«Fregnacce! – replicò Spaziani energicamente. – Vedrai che a pancia all'aria te ne starai molto meglio...» E dal solito cassetto estrasse una scatoletta di latta verde mezza piena di brillantina solida.

«Pensa come sei fortunato! – gli disse mentre spalmava la brillantina sopra le orecchie. – Sei quasi solo, hai poche spese e puoi fare la vita del nababbo».

«Non disturberò se verrò a trovarti ogni tanto?» chiese timido Giovanni.

Il dottor Spaziani lo guardò a lungo, emozionato, con un profondo senso d'umanità.

«Quando vorrai, Giovanni! Lo sai che ti voglio bene», si alzò e si sbracciò.

Giovanni scattò in piedi, girò intorno alla scrivania e si buttò al petto del superiore.

«Mio padre me lo diceva, – lagnò il dottor Spaziani. – Ama chi ti ama, fosse anche un cane!»

Giovanni si staccò da lui e lo guardò con coraggio negli occhi.

«Grazie!» pronunciò a mezza voce.

Si diresse poi alla porta, ma prima di uscire ringraziò ancora.

Come un prete il dottor Spaziani allargò le braccia:

«La gratitudine è il dono di chi riceve... io cosa ti ho dato? Niente!»

«Grazie lo stesso!» concluse nuovamente l'umile Giovanni ed uscí.

Rientrò a capo lacunoso nella sua stanza e lí trovò il gruppo dei colleghi piú stretti che lo aspettava con la bottiglia dello spumante e i bicchieri di carta.

«Hai visto che sei arrivato alla pensione?» Qualcuno aprí cosí la sequela dei convenevoli.

«Ci mancherai molto! L'Amministrazione ti deve molto! Molto prenderai di buonuscita!»

E giú congratulazioni, auguri e voti. Abbracci, baci e cerimonie.

«Prosit, cin cin, alla salute!»

Nel finale gli fu consegnata una medaglietta d'oro. «Per ricordo da parte dei colleghi», gli dissero.

Da quel giorno tutti i soldi che per decenni aveva versato allo Stato, che lo Stato gli aveva trattenuto dallo stipendio, sarebbero tornati a poco a poco al legittimo proprietario.

Iniziava per lui il meritato riposo: entrato al lavoro impiegato usciva quiescente.

Percorse l'ultimo ufficio-casa della vita con i riflessi lenti, fissandosi di tanto in tanto, guidando la ottoecinquanta con l'imprudenza involontaria tipica dei pensionati.

Il pomeriggio passò come un baleno, quasi tutto nel silenzio e davanti al televisore acceso, a ricordargli il tempo della colite, quando con la borsa calda sulla pancia se ne rimaneva tranquillo in casa senza pensare a niente, con due linee appena di febbre.

Vivere di rendita non era piú una favola e in quel caso si trattava di una rendita sicura e puntuale, matematica come niente in tutta la sua esistenza.

E per godersela a dovere non aveva a disposizione soltanto le ore pomeridiane, ma anche tutte le mattine, il giorno intero, mattina e pomeriggio.

C'era da scegliere, da ubriacarsi di libertà.

Lí per lí non disse niente alla moglie, voleva pensarci, mettere un po' di ordine nella testa: sotto sotto si agitavano ancora i brutti pensieri legati alla morte dell'assassino e allo sciagurato sotterramento fatto proprio con i piedi.

«Devo tornare laggiú, – si diceva. – Devo farlo!»

Quella notte che avrebbe chiuso alle sue spalle la grande parentesi dei doveri civili, dei sacrifici, del lavoro e che lo avrebbe introdotto nel placido mondo dei pensionati, non dormí tranquillo: si girava e rigirava sotto le lenzuola nella vaghezza, a metà strada tra il sonno e i pensieri incalzanti, nel terrore che gli aveva preceduto sempre ogni importante vigilia, con la medesima apprensione di quando, ragazzino, la notte della befana, per la voglia di vedere al piú presto l'alba non riusciva a decollare verso i veri sogni, quelli sani di uno spirito libero. Aveva paura di sognare, di vedere magari dentro gli occhi chiusi il cane che scavava sulla fossa dell'assassino.

Quella mattina per Giovanni era un doppio giorno di festa: era domenica ed era anche la prima di una lunga sfilza di feste.

Questa coincidenza non gli permise di apprezzare fino in fondo il diritto che gli avevano accordato di disertare l'ufficio.

In cucina riuscí a trovare un pentolino decente per il latte.

Entrando e uscendo dalle stanze respirò profondamente l'odore acidulo della casa, tipico della sua casa. Di mattina si sentiva di piú... si era venuto formando negli anni ed era diventato l'odore personale... persino della sua pelle. Affiorava dalle stoffe e dall'interno dei cassetti, dalle porosità dei mobili, dai materassi, dalla bachelite sbruciacchiata delle lampadine: inesauribile.

Prima di raccontare ogni cosa a sua moglie e in attesa di offrirle la colazione, andò ad aprire le finestre per far entrare luce e aria.

Non era una bella giornata; sulla testa del Tuscolano, in alto nel cielo, doveva esserci il cuore di una larga zona di bassa pressione.

Lasciò bollire il latte qualche minuto per ammazzare i microbi, riempí una grande tazza bianca, zuccherò, fece cadere dentro le gocce della medicina, apparecchiò un cabaret di plastica trasparente e si recò dalla moglie con l'aria soddisfatta dell'uomo efficiente e del marito affettuosamente servizievole.

Poggiò il vassoio sul ripiano della credenza, tirò fuori da un cassetto un tovagliolo verde del servizio:

«Ti ho preparato il latte, Amalia. La sai la novità?»

Si chinò sulla moglie e la baciò in fronte.

«Da oggi in poi vivremo di rendita», continuò.

Ma gli prese un colpo: Amalia era fredda come un tegame.

Sotto gli occhi inceppati vide il corpo della donna che lentamente, per la pressione del bacio, si piegava tutto d'un lato come un manichino, afflosciandosi su un bracciolo della sedia. Vide infine la testa vincere l'inflessibilità del collo e penzolare inanimata nel vuoto.

Dall'ultima volta che l'aveva guardata era già passato un secolo. Amalia era morta. Anche lei. Seduta su una sedia. In silenzio. Rimaneva una muta carcassa, appoggiata sul dondolo di vimini da chissà quando.

Era morta, aveva la faccia di un vecchietto povero. Una patina tra la brina e la cipria le era piovuta sulla pelle, le unghie erano nere come quelle di una parrucchiera, uno spernacchio di capelli le era scivolato sugli occhi.

«Amalia, no!» gridò Giovanni.

Spalancò la porta d'ingresso e urlò con tutto il fiato nella tromba delle scale:

«Aiuto! Aiuto! Mia moglie sta male, è morta!»

Impallidí e svenne, imbrattato di sudore freddo.

Si affacciarono subito tutti i nonni del palazzo. Qualcuno andò in soccorso di Giovanni; gli altri, dopo essersi sincerati della situazione, rientrarono nelle case e cedettero il posto alle figlie.

Le donne si accalcarono davanti alla porta del vedovo segnandosi e pregando.

Una di queste, la signora Margherita, spiccò subito sulle altre per la forza d'animo e la competenza con le quali riportò ordine nel pianerottolo: la grinta di consumata infermiera, fece sdraiare Giovanni sul letto e rimandò indietro la piccola folla di donnette curiose.

Telefonò al medico condotto invitandolo per l'accertamento del decesso e in parrocchia per il prete.

Richiuse tutte le finestre.

Andò subito ad affondare le mani nel vasetto del sale fino in cucina e lo cosparse generosamente sul pavimento.

Rimediò due mozziconi di candela, ne accese gli stoppini, fece colare la cera su due piatti che poggiò davanti ai piedi della morta, ancora scomposta sul seggiolone.

Nel bagno trovò un po' di profumo, mezzo spruzzatore di Felce Azzurra, e andò a svuotarlo sul cadavere dalla testa ai piedi.

Finalmente si occupò di Giovanni che piagnucolava, accartocciato come un feto, sul letto matrimoniale.

Poche parole di circostanza, ma col tono professionale di consolatrice.

La signora Margherita, insomma, ci sapeva proprio fare: in materia di circostanze funebri era un asso.

Anche lei, un po' come Giovanni, delle disgrazie aveva conosciuto tutti i segreti. Non c'era sciagura dalla quale non sapesse uscire intatta e le esperienze erano state tali e tante che in fatto di malattie, morti e funerali aveva acquistato una notevole pratica e disinvoltura.

Nel palazzo la conoscevano tutti. Sapeva fare le iniezioni e cambiare le fasciature, maestra nei clisteri e nell'uso di cateteri e sonde intestinali.

Era amata e stimata perché tutti, in cuor loro, sapevano che prima o dopo avrebbero dovuto ospitarla in casa propria, come ora la stava ospitando Giovanni.

Si avvicinò al povero vedovo e cercò di rianimarlo, di risvegliarlo alla realtà.

Gli passò il fumo di una pezzetta bruciacchiata sotto le narici, gli sferrò tre o quattro ceffoni ben dosati sulla testa e sulle guance, gli fece annusare la boccetta dello smacchiatore e gli dette da bere un sorsetto d'aceto.

L'uomo rinvenne e con la testa intrappolata fra le dita cercava, tra balbettii e spasimi, la strada piú breve per la rassegnazione.

La donna, nella sua terribile inflessibilità di infermiera, era attentissima a cogliere, nei vacui e insensati lamenti del poveretto, le difese spontanee che l'animo disperato si creava in obbedienza alla cruda legge della sopravvivenza... e quando individuava una frase, una parola che egli diceva a se stesso per consolarsi, interveniva con prepotenza, lo invitava a riflettere su quello che aveva detto, su quello che voleva dire, su quello che non aveva detto ancora. Solo incoraggiandogli quei momenti di verità avrebbe potuto richiamarlo al reale, introdurlo lentamente nella condizione di vedovo.

Egli trovò inaspettatamente la forza per dare un'altra occhiata alla morta.

Afferrò la mano della signora Margherita e la strinse forte forte, si tirò poi dietro la donna e la portò con sé davanti al cadavere.

Quella che una volta era Amalia ora, come la statua della Madonna, stava immobile seduta nel buio, tra due candele accese.

L'olezzo pesante di Felce Azzurra che emanavano le vesti impietosí ancora di piú Giovanni al quale quel profumo gliela ricordava viva e giovane, quando l'ultima domenica del mese insieme con lei, azzimata e pettinata, andava dopo pranzo a prendere la granita di caffè con panna da Fassi a piazza Vittorio.

Come era bella allora la vita; che bei tempi!

Vennero in ordine il medico che certificò l'avvenuto decesso della signora Vivaldi e il prete che la benedí in fretta e furia e senza respirare per non svenire dalla puzza di profumo.

Passato il peggio, dopo aver bevuto una mezza dozzina di caffè, il vedovo aiutò la signora Margherita a trasportare il cadavere sul letto.

Lei per le gambe, lui per le ascelle trasferirono la poveretta in camera e l'adagiarono sopra l'imbottita.

Giovanni la vide lí sdraiata, senza vita, smozzicò tre quattro parole insensate, ricominciò a singhiozzare, a lacrimare senza muoversi, le braccia abbandonate al peso delle mani.

La signora Margherita lo lasciò sfogare un po'; quindi con tatto lo condusse fuori e a passetti lo accompagnò verso il telefono.

«Chiamate i parenti e gli amici», gli suggerí affidandogli l'elenco.

Giovanni cercò gli occhiali, se li mise e cominciò dal dottor Spaziani.

«Stai su, stai su! – gli disse la voce del superiore. – Poveretta!... Ma in fondo è meglio... per lei è stata una liberazione! È meglio cosí che sotto un treno, dammi retta!»

Giovanni, tra un singhiozzo e l'altro, rispondeva di sí.

Dopo il dottor Spaziani, in ordine decrescente di grado, chiamò gli altri colleghi di ufficio e tutti lo confortarono, dispiaciuti e commossi.

«È sotto le mazzate del destino che si temperano i

cuori forti! – gli dicevano. – Da ogni ferita esce un po'
di sangue ma entra anche un po' di saggezza».

Intanto la signora Margherita ricomponeva e vestiva
a festa la povera Amalia. Ma scosciata com'era quando
spirò, per darle un aspetto piú dignitoso le dovette le-
gare insieme le gambe con la cinta della vestaglia e sotto le cosce fece un fiocco.

Posò le due candele per terra ai piedi del letto, in-
crociò le mani della morta sul cuore e tra le dita inca-
strò la corona di un rosario.

La pettinò, l'aggiustò, si genuflesse, disse un Requiem e uscí in punta di piedi.

Trovò Giovanni ancora accanto all'apparecchio te-
lefonico, che esitava.

«Mi pare che non manca nessuno», disse lui, passando in rassegna nella mente amici e conoscenti.

«Non preoccupatevi, – gli rispose lei, – caso mai fate sempre a tempo a fare qualche telegramma domani.
Occupatevi piuttosto del funerale, andate a un'agenzia
di pompe funebri, ce n'è una che si spende poco, a ra-
te, qui vicino... È aperta!»

«Grazie signora, voi siete tanto buona», scivolò dalla bocca a Giovanni.

Cosí l'uomo e la donna si misero in marcia per l'a-
genzia di pompe funebri.

Ci vollero ore prima che venisse mattina. L'alba fu cupa e interminabile.

Era il giorno dopo di un altro giorno, questo pensò Giovanni. E il funerale non era una sorpresa, seguiva al decesso come i giorni seguono ai giorni.

«Pioverà», ne fu certo.

Il cielo era triste come lui. In quell'aria adatta ai cattivi pensieri come poteva non angosciarsi all'idea del cadavere dell'assassino... Ma non era il momento giusto, rituffò dentro quella brutta paura.

La cassa, preceduta dal prete e dai piccoli chierici, fu portata a spalla da Giovanni e da tre becchini delle pompe funebri. Dietro la signora Margherita seguita dal corteo degli impiegati.

Davanti alle porte che si affacciavano sulle scale donne e bambini, in ginocchio, fecero il segno di croce, qualche vecchietta piangeva.

«Hai visto, Amalia? – ripeteva dentro di sé, alla moglie, Giovanni. – Se vedessi... quanta gente ti voleva bene!...»

All'apparizione della cassa fuori del portone udí lo sferragliare delle serrande dei negozi lí intorno, abbassate in segno di lutto, e ne fu segretamente orgoglioso.

«Però, – pensò in cuor suo, – chi se l'immaginava?»

La bara fu messa dentro il carro funebre, sopra vi

appoggiarono i fiori e il cuscino di alloro con la scritta: «I Fratelli della Loggia Massonica di Rito Scozzese Antico ed Accettato Arturo Toscanini».

Molte teste guardavano in alto i nuvoloni, ma non c'era da temere niente, la processione sarebbe durata ben poco: la chiesa era vicina, la stessa che la signora Amalia visitava alla domenica e nella quale andava a fare rifornimento d'acqua benedetta.

La cassa da morto fu collocata su due bassi cavalletti tra quattro candelabri accesi davanti all'altare e fu ricoperta con un lenzuolo nero fregiato d'oro con quattro teschi agli angoli.

Il prete andò in sacrestia per vestirsi dei paramenti di rito mentre il vedovo, la signora Margherita e tutti gli altri occuparono le prime file di panche.

A quell'ora nella chiesa c'erano soltanto poche vecchie: il giorno prima avevano letto il bollettino appiccicato sul portone e, informate del funerale, fedeli come sempre, non avevano potuto mancare all'appuntamento.

La campanella accanto alla porta della sacrestia annunciò l'arrivo del sacerdote e dei chierichetti.

Ebbe inizio il rito funebre, la messa in favore della povera defunta.

Il celebrante, accompagnato dai due piccoli inservienti, cominciò a salire e a scendere i gradini davanti all'altare tra borbottii oscuri e confusi: si inginocchiava, si batteva il petto, si segnava, baciava lo scalino, gli agghindamenti e le rabescature della mensa mistica, si rivolgeva ai fedeli e li benediva nel nome di Dio.

Tirò su la zimarra nera e con una chiavetta dorata andò ad aprire lo sportellino nascosto dietro un velo: fece comparire il calice prezioso che sollevò sopra il capo. Si voltò e tese le braccia minacciose.

Giovanni assisteva al sacrificio della messa affondato con i piedi nel pavimento di almeno un palmo: avvertí una trascendente sensazione di estraneità da se stesso e dal mondo.

Il sacerdote si dispose accanto alla bara per la predica.

«Come sono piccoli gli uomini...» esordí.

La signora Margherita aveva descritto a Giovanni quel prete come uno che sa il fatto suo, di quelli che per la parrocchia e per le anime della gente si fanno in quattro. Era buono, largo di maniche: venerato dalle dame di carità di San Vincenzo De' Paoli.

Qualche cattiva lingua aveva fatto correre la voce che odiasse il Papa per invidia. È per questo che a volte gli perdonavano qualche scatto rabbioso e qualche tetro rancore, per quella debolezza, quel peccato veniale che lo faceva uomo tra gli uomini.

«Avrebbe fatto prima a diventare santo, come Padre Pio», dicevano spesso i piú maligni.

Il vedovo ascoltò la predica con umana solidarietà, con una partecipazione tutta laica.

«Come sono piccoli gli uomini!... Che defecano, mingono, fanno di queste cose e poi vanno all'altro mondo!»

Parlò della coscienza, dei peccati che solo Dio può giudicare, delle ingiustizie clamorose degli umani, delle virtú e della preghiera.

Egli conosceva la signora Amalia: una donna devota, generosa, un esempio di fedeltà alla Chiesa e ai suoi principî.

E piú parlava e piú si riscaldava, si metteva in croce e coloriva le parole con facce tremende.

Non argomentava tanto in merito alle grazie divine, quanto invece alle sporcizie e alle nequizie degli uomini, alle loro viltà, alle distorte ambizioni, alla futilità delle cose terrene, dei regni e degli Stati.

Quante porcherie era costretto ad ascoltare ogni giorno nel confessionale!

Chi piú o meglio di lui avrebbe potuto esprimere un parere sugli uomini, sulla vita nascosta dentro le case?

Se avesse potuto dare un giudizio complessivo ed emettere la sua sentenza, ebbene, avrebbe volentieri invocato il Diluvio Universale, avrebbe serenamente emesso un'irrevocabile sentenza di morte generale.

Ma sta al Signore prendere di queste decisioni e il Signore è sommamente buono, ci lascia vivere in pace in attesa della remissione dei peccati.

Era giunto il momento di Amalia, nuda davanti a Dio, e agli amici e parenti rimasti in vita non restava che pregare e invocare la benevolenza del Sommo Giudice.

Giovanni, come una spugna arida e assetata, assorbiva ogni parola del sacerdote: dai pori spalancati della pelle gli entravano dentro anche i punti e le virgole di quel discorso vibrante e veritiero.

Dopo il cimitero, concluso anche l'ultimo stadio del cerimoniale, Giovanni si ritrovò di nuovo a casa: la signora Margherita lo salutò sulla soglia e se ne andò.

La porta si richiuse col rimbombo di un coperchio sulla pentola vuota.

Ebbe subito paura di restare solo, ma cercò di vincere la diffidenza che sentiva per quella casa. Andò un po' in giro senza sapere dove fermarsi.

Vide che fuori il tempo stava mantenendo le grigie promesse del primo mattino, era cominciata a cadere una pioggia stanca fin dalle prime gocce.

Si sgomentava di non avere altro da fare che pensare e ripensare a lei, alla disgraziata moglie e alla fine della vita.

Non osava aprire l'armadio per non vedere gli indumenti di Amalia; non si avvicinava ai cassetti per non toccare quello che avevano toccato le sue mani amorose.

Era una vera tortura: doversene stare lí, in silenzio con la testa piena di brutti pensieri e di dolorose nostalgie.

Che fare, d'altra parte? Pregare e rattristarsi sempre di piú.

L'appartamento, in fondo, doveva servirgli soltanto da dormitorio, ma cominciava a disperare che fosse buono anche per quello.

Poco piú tardi si rifece viva la signora Margherita per un ulteriore controllo delle condizioni di spirito del nuovo vedovo. Gli chiese come andava e come se la cavava da scapolo.

La donna gli fece quelle domande con la solita aria d'esperta in questioni del genere e sembrava conoscere anche le sue risposte.

«Va male. Tutto mi ricorda Amalia... la vedo là, e poi là e poi là!»

«È naturale, – disse lei facendo sbattere le mani sulle cosce. – Qui ci sono troppi ricordi, molte cose inutili... Dovete cambiare i posti dei mobili, dovete dare via quello che non vi serve... Lo fanno tutti!»

Si rimboccò le maniche e «Al lavoro!» gli intimò.

Dove c'era il comò misero l'armadio, le sedie da sotto la finestra furono portate accanto alla porta; i quadretti della camera da letto trovarono posto nella stanza da pranzo e quelli della stanza da pranzo nella camera da letto.

Il tavolo che prima stava al centro della saletta lo accostarono al muro e al suo posto piazzarono un tappeto persianeggiante sul quale, a circolo intorno ad uno sgabello, furono sistemate tre sedie.

Il letto matrimoniale che era composto di due materassi e due reti fu ridotto ad un letto singolo.

Alla fine, accanto alla porta ammucchiarono tutto quello che la signora Margherita, con l'autorità della competenza, decise essere ormai di troppo là dentro.

Naturalmente ci avrebbe pensato lei a portar via le cose, facendosi aiutare dal figlio.

Cosí si prese mezzo letto, le lenzuola doppie, la sedia di vimini che Giovanni non poteva piú vedere, tutti i vestiti, le scarpe, gli scialli e la biancheria della moglie.

Dalla cucina trafugò le pentole grandi, quasi tutte le

posate e i bicchieri, piatti, padelle: lasciò una sola tazzina del servizio da caffè.

Fece l'ultimo carico sulle spallone del figlio e salutò Giovanni con occhi rassicuranti, a dirgli: «Vedrete che ora andrà meglio!»

E fu proprio cosí, l'effetto di quella terapia si fece sentire subito: bastò il cambiamento nella disposizione dei mobili e l'apparente scomparsa di tracce del passato per rimettere un po' in agio il vedovo.

Quella era sempre la sua casa, non c'era dubbio, eppure non lo sembrava affatto.

Si accorse ora, con forse piú tristezza, di non avere famiglia. Ma scoprí anche, nel segreto del suo intimo, che se non aveva affetti non aveva neanche paure.

Oramai piú nessuna disgrazia avrebbe potuto colpirlo. Non poteva morirgli piú nessuno.

Il cupore dei suoi assilli fu sconvolto dallo scricchiolare del Tuscolano sotto l'improvviso rovescio della pioggia.

Tutt'intorno al palazzo era esploso un vero e proprio nubifragio, l'acqua veniva giú a dirotto.

Giovanni sentí sulle spalle un freddo improvviso. Un tuono lo fece avvicinare alla finestra.

Guardò di sotto il brutto acquazzone che tormentava la città.

Fiumi d'acqua straripavano dalle terrazze come da recipienti stracolmi e confluivano verso i tombini ostruiti della via, precipitavano lungo i binari del tram trasportando fango e immondizie.

L'animo di Giovanni fu ammorbato da un grave sospetto che andò paurosamente ingigantendosi.

«Oh Madonna mia!» invocò a bassa voce dentro di sé.

«L'assassino!...»

Stava correndo un rischio madornale, anzi, la catastrofe era certa, non l'avrebbe salvato neanche il Padreterno in persona.

Vedeva con quanta furia l'acqua macinava i piedi delle piante e girava vorticosamente tutt'attorno.

Si figurava la riva dello stagno dove l'assassino era stato mal sotterrato.

Ad ogni lampeggiamento del cielo sulle rétine di Giovanni si stampavano immagini di incubo: come due fiori carnosi le mani bianche della vittima spuntavano da sottoterra e la pioggia le lavava per metterle bene in mostra; il cadavere liberato dal fango, con la bocca spalancata alle nuvole, sputava acqua piovana con una risonanza strafottente, come se fosse viva; alla fine un capannello di persone pallide e mute sotto gli ombrelli circondava il corpo restituito alla superficie.

Tutto questo per la stoltezza di chi l'aveva sepolto. Si trattava di agire subito: ritornare laggiú, impadronirsi di nuovo del cadavere, riseppellirlo.

Fu proprio il carattere necessario della cosa che gli dette la forza di affrontare la burrasca.

Sarebbe tornato al piú presto, quella notte stessa.

Mise le scarpe pesanti, si imbacuccò per benino, lasciò sollevata la cornetta del telefono e uscí in punta di piedi, si toccò la tasca per sentire le chiavi di casa, chiuse con delicatezza e sparí.

Mano a mano che Giovanni si avvicinava alla campagna si accorgeva che, per fortuna, la furia degli elementi era soprattutto concentrata sul Tuscolano.

I campi e i fossi non erano allagati: si rincuorò e se la prese piú comoda.

Deviò per lo stagno, fermò la macchina a pochi metri da dove aveva sotterrato l'assassino, scese, fece due passi intorno.

Tutto era in ordine, silenzio sopra e sotto la terra, nessuno in vista per chilometri, né uomini, né animali.

Risalí in macchina, raggiunse la baracca e prese gli attrezzi: pala e piccone.

Scelse in una macchia di alberi di fico selvatico il fico piú grosso e si mise al lavoro: l'intenzione era di sradicare la pianta per trapiantarla vicino alla bicocca.

Lavorò soprattutto di pala, con le mani e i piedi nella melma; il piccone gli serví per recidere le radici piú lunghe.

Dopo un paio d'ore finalmente la pianta fu divelta.

Giovanni si sedette sul tronco per riprendere fiato, poi con santa pazienza, metro dopo metro, tirò l'albero fino alla baracca.

Le mani e il collo gli prudevano impastati di terra e di latte di fico. Si pulí alla meglio con l'erba bagnata, riconquistò le forze e dette inizio alla fatica piú grossa.

Scavò, scavò senza risparmiare energie.

La testa bassa, il piede sul badile, il manico di legno sotto l'ascella a estrarre pozzolana e tufo. Con le mani ferite estirpava grosse pietre dalle pareti della buca e le spingeva fuori... e ancora giú, sempre piú in basso, a cavar terra.

A notte alta aveva fatto un bucone cosí grande che insieme all'assassino poteva seppellirci pure l'automobile.

Si fermò: la baracca non si vedeva piú, nascosta dietro i picchi dello sterro.

Risalí a fatica, caricò sulla macchina la pala e via subito verso la sepoltura in riva allo stagno.

Scavò anche qui, ma quasi subito sentí sotto le mani gli abiti bagnati della vittima.

Con le unghie e con le dita scalzò la terra intorno al cadavere, lo afferrò quindi per i piedi e lo trascinò via.

«Da là sotto, – pensò mentre guardava quei resti mortali in fondo alla buca, – neanche il terremoto lo farà venire fuori».

E cominciò a ricoprire palata dietro palata. Ributtò dentro le pietre, i tufi...

Verso la fine, un buon metro prima di spianare, piantò l'albero di fico, nel bel mezzo dello scavo; puntellò con i sassi la radice, ricolmò il fosso e ammucchiò terra intorno.

Ecco, adesso poteva stare tranquillo. Il fico un giorno avrebbe attecchito, sarebbe cresciuto e avrebbe fatto ombra davanti alla baracca nelle prossime estati.

Rientrò a casa che era notte fonda. Le gambe gli tremavano per la stanchezza, non lo tenevano piú diritto in piedi.

Era stata una fatica del diavolo e solo adesso si rendeva conto di avere strafatto.

D'altra parte in un caso del genere è sempre vero che chi piú spende meno spende: poteva dirsi tranquillamente, lavandosene ormai le mani: « cosa fatta capo ha! »

A incremento di quell'ottimismo c'era la convinzione di non essere stato visto da nessuno, né all'andata, né al ritorno: tutti quelli che lo conoscevano non potevano pensarlo che a casa, insonne, in quella prima notte di solitudine.

E, anzi, per non rischiare neanche un pochettino, camminò per le stanze senza accendere la luce, con la fiammella di un cerino sopra le dita.

Con estrema delicatezza rimise a posto la cornetta del telefono e filò dritto dritto verso il letto. Per trovarlo dovette faticare un po' visto che era ridotto a una piazza sola e non stava piú dove era sempre stato.

Finalmente lo sentí con le ginocchia, mandò un bel sospirone: non vedeva l'ora!

Trovò il pigiama, si spogliò e cadde subito, esausto, in un sonno ristoratore.

La mattina appresso stava già meglio. Alle cinque e

mezzo aprí bene gli occhi, guardò la finestra buia e la sveglia, si girò dall'altra parte accoccolandosi intorno ai gomiti.

Riuscí a dormire ancora un'ora tutta d'un fiato, fino alle sei e mezza sette meno un quarto, quando la prima luce del nuovo giorno gli disegnò sulla faccia lo spigolo della persiana socchiusa.

Finalmente si alzò, si guardò tra quelle quattro mura. Si sedette su una sedia come se si trovasse nella casa di qualcun altro.

Notò subito che la carta da parati era tutta scolorita: sulla parete dove una volta c'era l'armadio era abbozzato un grande rettangolo fiorito mentre tutt'intorno non rimaneva che un giallo vago e affumicato.

Il comò, in quel nuovo posto, era un'altra cosa; i due comodini, ai lati di quel letto cosí piccolo, lui che aveva sempre dormito dalla parte sinistra, li vedeva messi là da un sacrestano; le due sedie mingherline accanto alla porta gli facevano pena.

Chiuse gli occhi e immaginò di ritrovarsi nella vecchia camera da letto; li aprí e si vide di colpo dov'era, nella nuova eppur vecchia stanza.

Chiuse e riaprí gli occhi ancora, tante volte. Si alzò e andò in cucina a prepararsi il caffè.

Pose la macchinetta sul fuoco, tirò fuori la tazzina, ci mise dentro due cucchiaini di zucchero.

Poi, per ingannare il tempo in attesa che la caffettiera fischiasse, con un mozzicone di matita ritrovata nel fondo di un cassetto, sopra un brandello della busta del pane si mise a calcolare: fece qualche moltiplicazione, qualche sottrazione, divise i pensionati per tanti bambini; tolse qualche anno per prudenza, qualche altro per contemplare gli imprevisti e un buon dieci per cento d'errore.

Togli e metti, per navigare sicuro verificò il problema con la prova del nove. Decise che piú o meno gli restavano quindici anni da vivere, che non poteva escludere i cento anni e che comunque dieci erano quasi matematici.

La caffettiera borbottò, ribollí velocemente e di colpo si acquietò.

Giovanni riempí la tazzina e con le labbra a punta ci soffiò sopra a circolo. Soffiava e pensava che per una quindicina d'anni tutte le mattine sarebbe stato cosí.

*Stampato nel dicembre 1994 per conto della Casa editrice Einaudi
presso G. Canale & C., s. p. a., Borgaro (Torino)*

C.L. 13631

Einaudi Tascabili

20 Musil, *I turbamenti del giovane Törless* (4ª ed.).

21 Mann, *La morte a Venezia* (4ª ed.).

22 Shirer, *Storia del Terzo Reich* (2 volumi).

23 Frank, *Diario* (9ª ed.).

24 Rigoni Stern, *Il sergente nella neve. Ritorno sul Don* (5ª ed.).

25 Fenoglio, *Una questione privata. I ventitre giorni della città di Alba* (5ª ed.).

26 Deakin, *La brutale amicizia. Mussolini, Hitler e la caduta del fascismo italiano* (2 volumi).

27 Nerval, *Le figlie del fuoco.*

28 Rimbaud, *Opere.* Testo a fronte (2ª ed.).

29 Walser, *L'assistente* (2ª ed.).

30 Vassalli, *La notte della cometa. Il romanzo di Dino Campana* (4ª ed.).

31 Svevo, *La coscienza di Zeno e «continuazioni».*

32 Pavese, *Il carcere.*

33 Pavese, *Il compagno* (5ª ed.).

34 Pavese, *La casa in collina* (7ª ed.).

1 Omero, *Odissea.* Versione di Rosa Calzecchi Onesti. Testo a fronte (8ª ed.).

2 Levi (Primo), *Se questo è un uomo. La tregua* (15ª ed.).

3 Least Heat-Moon, *Strade blu. Un viaggio dentro l'America* (5ª ed.).

4 Morante, *Aracoeli. Romanzo* (6ª ed.).

5 Virgilio, *Eneide.* Introduzione e traduzione di Rosa Calzecchi Onesti. Testo a fronte (4ª ed.).

35 Omero, *Iliade.* Versione di Rosa Calzecchi Onesti. Testo a fronte (4ª ed.).

36 Tolstoj, *Guerra e pace* (2 volumi) (2ª ed.).

37 Codino, *Introduzione a Omero.*

38 De Roberto, *I Viceré* (3ª ed.).

39 Jovine, *Signora Ava.*

40 Levi (Carlo), *Cristo si è fermato a Eboli* (6ª ed.).

6 *Storia d'Italia. I caratteri originali.* A cura di Ruggiero Romano e Corrado Vivanti (2 volumi).

7 Levi (Carlo), *L'Orologio* (2ª ed.).

8 Bloch (Marc), *I re taumaturghi. Studi sul carattere sovrannaturale attribuito alla potenza dei re particolarmente in Francia e in Inghilterra.*

9 Packard, *I persuasori occulti* (3ª ed.).

10 Amado, *Teresa Batista stanca di guerra* (8ª ed.).

11 Buñuel, *Sette film* (L'età dell'oro. Nazarin. Viridiana. L'angelo sterminatore. Simone del deserto. La via lattea. Il fascino discreto della borghesia) (2ª ed.).

12 *I Vangeli apocrifi.* A cura di Marcello Craveri (5ª ed.).

13 Sciascia, *Il giorno della civetta* (5ª ed.).

14 Sciascia, *Il contesto. Una parodia* (2ª ed.).

15 Sciascia, *Todo modo* (2ª ed.).

16 Fitzgerald, *Tenera è la notte* (7ª ed.).

17 Schulberg, *I disincantati.*

18 Sartre, *La nausea* (6ª ed.).

19 Bataille, *L'azzurro del cielo.*

41 Rea, *Gesú, fate luce.*

42 Tornabuoni, *'90 al cinema.*

43 Gino & Michele - Molinari, *Anche le formiche nel loro piccolo s'incazzano* (18ª ed.).

44 Balzac, *Splendori e miserie delle cortigiane.*

45 Proust, *Contro Sainte-Beuve.*

Proust, *Alla ricerca del tempo perduto:*

46 *La strada di Swann* (2 volumi).

47 *All'ombra delle fanciulle in fiore* (3 volumi).

48 *I Guermantes* (3 volumi).

49 *Sodoma e Gomorra* (2 volumi).

50 *La prigioniera* (2 volumi).

51 *Albertine scomparsa.*

52 *Il tempo ritrovato* (2 volumi).

53 *I Vangeli* nella traduzione di Niccolò Tommaseo. A cura di Cesare Angelini.

54 *Atti degli Apostoli.* A cura di Cesare Angelini.

55 Holl, *Gesú in cattiva compagnia.*

56 Volponi, *Memoriale* (2ª ed.).

57 Levi (Primo), *La chiave a stella* (4ª ed.).

58 Volponi, *Le mosche del capitale.*

59 Levi (Primo), *I sommersi e i salvati* (5ª ed.).

60 *I padri fondatori. Da Jahvè a Voltaire.*

61 Poe, *Auguste Dupin investigatore e altre storie.*

62 Soriano, *Triste, solitario y final* (3ª ed.).

63 Dürrenmatt, *Un requiem per il romanzo giallo. La promessa. La panne* (3ª ed.).

64 Biasion, *Sagapò* (3ª ed.).

65 Fenoglio, *Primavera di bellezza.*

66 Rimanelli, *Tiro al piccione.*

67 Soavi, *Un banco di nebbia.*

68 Conte, *Gli Slavi* (3ª ed.).

69 Schulz, *Le botteghe color cannella.*

70 Serge, *L'Anno primo della rivoluzione russa.*

71 Ripellino, *Praga magica* (5ª ed.).

72 Vasari, *Le vite de' piú eccellenti architetti, pittori, et scultori italiani, da Cimabue insino a' tempi nostri.* A cura di Luciano Bellosi e Aldo Rossi (2 volumi) (2ª ed.).

73 Amado, *Gabriella garofano e cannella* (6ª ed.).

74 Lane, *Storia di Venezia* (2ª ed.).

75 *Tirature '91.* A cura di Vittorio Spinazzola.

76 Tornabuoni, *'91 al cinema.*

77 Ramondino-Müller, *Dadapolis.*

78 De Filippo, *Tre commedie* (2ª ed.).

79 Milano, *Storia degli ebrei in Italia* (3ª ed.).

80 Todorov, *La conquista dell'America* (4ª ed.).

81 Melville, *Billy Budd e altri racconti.*

82 Yourcenar, *Care memorie* (6ª ed.).

83 Murasaki, *Storia di Genji. Il principe splendente* (2 volumi).

84 Jullian, *Oscar Wilde.*

85 Brontë, *Cime tempestose* (3ª ed.).

86 Andersen, *Fiabe* (3ª ed.).

87 Harris, *Buono da mangiare* (2ª ed.).

88 Mann, *I Buddenbrook* (4ª ed.).

89 Yourcenar, *Archivi del Nord* (6ª ed.).

90 Prescott, *La Conquista del Messico* (2ª ed.).

91 *Beowulf* (3ª ed.).

92 Stajano, *Il sovversivo. L'Italia nichilista.*

93 Vassalli, *La chimera* (7ª ed.).

94 *Le meraviglie del possibile. Antologia della fantascienza* (4ª ed.).

95 Vargas Llosa, *La guerra della fine del mondo* (2ª ed.).

96 Levi (Primo), *Se non ora, quando?* (3ª ed.).

97 Vaillant, *La civiltà azteca* (2ª ed.).

98 Amado, *Jubiabá* (2ª ed.).

99 Boccaccio, *Decameron* (2 volumi) (3ª ed.).

100 Ghirelli, *Storia di Napoli.*

101 Volponi, *La strada per Roma* (2ª ed.).

102 McEwan, *Bambini nel tempo* (3ª ed.).

103 Cooper, *L'ultimo dei Mohicani* (2ª ed.).

104 Petrarca, *Canzoniere* (2ª ed.).

105 Yourcenar, *Quoi? L'Éternité* (3ª ed.).

106 Brecht, *Poesie* (2ª ed.).

107 Ben Jelloun, *Creatura di sabbia* (3ª ed.).

108 Pevsner, Fleming, Honour, *Dizionario di architettura* (3ª ed.).

109 James, *Racconti di fantasmi* (4ª ed.).

110 Grimm, *Fiabe* (3ª ed.).

111 *L'arte della cucina in Italia.* A cura di Emilio Faccioli.

112 Keller, *Enrico il Verde.*

113 Maltese, *Storia dell'arte in Italia 1785-1943.*

114 Ben Jelloun, *Notte fatale* (2ª ed.).

115 Fruttero-Lucentini, *Il quarto libro della fantascienza.*

116 Ariosto, *Orlando furioso* (2 volumi) (2ª ed.).

117 Boff, *La teologia, la Chiesa, i poveri.*

118 Pirandello, *Sei personaggi in cerca d'autore* (2ª ed.).

119 James, *Ritratto di signora* (3ª ed.).

120 Abulafia, *Federico II* (3ª ed.).

121 Dostoevskij, *Delitto e castigo* (4ª ed.).

122 Masters, *Antologia di Spoon River* (4ª ed.).

123 Verga, *Mastro-don Gesualdo*.

124 Ostrogorsky, *Storia dell'impero bizantino* (2ª ed.).

125 Beauvoir (de), *I Mandarini* (3ª ed.).

126 Yourcenar, *Come l'acqua che scorre* (3ª ed.).

127 Tasso, *Gerusalemme liberata* (2ª ed.).

128 Dostoevskij, *I fratelli Karamazov* (2ª ed.).

129 Honour, *Neoclassicismo* (2ª ed.).

130 De Felice, *Storia degli ebrei italiani* (2ª ed.).

131 Goldoni, *Memorie* (2ª ed.).

132 Stendhal, *Il rosso e il nero* (3ª ed.).

133 Runciman, *Storia delle crociate* (2 volumi) (2ª ed.).

134 Balzac (de), *La Fille aux yeux d'or* (Serie bilingue).

135 Mann, *Tonio Kröger* (Serie bilingue) (2ª ed.).

136 Joyce, *The Dead* (Serie bilingue).

137 *Poesia italiana del Novecento*. A cura di Edoardo Sanguineti (2 volumi) (2ª ed.).

138 Ellison, *Uomo invisibile*.

139 Rabelais, *Gargantua e Pantagruele* (2ª ed.).

140 Savigneau, *Marguerite Yourcenar* (2ª ed.).

141 Scholem, *Le grandi correnti della mistica ebraica* (2ª ed.).

142 Wittkower, *Arte e architettura in Italia, 1600-1750* (2ª ed.).

143 Revelli, *La guerra dei poveri*.

144 Tolstoj, *Anna Karenina* (2ª ed.).

145 *Storie di fantasmi*. A cura di Fruttero e Lucentini (2ª ed.).

146 Foucault, *Sorvegliare e punire* (2ª ed.).

147 Truffaut, *Autoritratto*.

148 Maupassant (de), *Racconti dell'incubo* (2ª ed.).

149 Dickens, *David Copperfield*.

150 Pirandello, *Il fu Mattia Pascal* (2ª ed.).

151 Isherwood, *Mr Norris se ne va*.

152 Zevi, *Saper vedere l'architettura* (2ª ed.).

153 Yourcenar, *Pellegrina e straniera*.

154 Soriano, *Mai più pene né oblio. Quartieri d'inverno*.

155 Yates, *L'arte della memoria* (2ª ed.).

156 Pasolini, *Petrolio* (2ª ed.).

157 Conrad, *The Shadow-Line* (Serie bilingue) (2ª ed.).

158 Stendhal, *L'Abbesse de Castro* (Serie bilingue).

159 Monelli, *Roma 1943*.

160 Mila, *Breve storia della musica* (2ª ed.).

161 Whitman, *Foglie d'erba* (2ª ed.).

162 Rigoni Stern, *Storia di Tönle. L'anno della vittoria* (2ª ed.).

163 Partner, *I Templari* (3ª ed.).

164 Kawabata, *Bellezza e tristezza* (2ª ed.).

165 Carpi, *Diario di Gusen*.

166 Perodi, *Fiabe fantastiche* (2ª ed.).

167 *La scultura raccontata da Rudolf Wittkower*.

168 N. Ginzburg, *Cinque romanzi brevi* (2ª ed.).

169 Leopardi, *Canti* (2ª ed.).

170 Fellini, *Fare un film*.

171 Pirandello, *Novelle*.

172 Publio Ovidio Nasone, *Metamorfosi* (2ª ed.).

173 *Il sogno della Camera Rossa. Romanzo cinese del secolo XVIII* (2ª ed.).

174 Dostoevskij, *I demoni*.

175 Yourcenar, *Il Tempo, grande scultore* (2ª ed.).

176 Vassalli, *Marco e Mattio*.

177 Barthes, *Miti d'oggi* (2ª ed.).

178 Hoffmann, *Racconti notturni*.

179 Fenoglio, *Il partigiano Johnny* (2ª ed.).

180 Ishiguro, *Quel che resta del giorno* (3ª ed.).

181 Cervantes, *Don Chisciotte della Mancia*.

182 O'Connor, *Il cielo è dei violenti*.

183 Gambetta, *La mafia siciliana*.

184 Brecht, *Leben des Galilei* (Serie bilingue) (2ª ed.).

185 Melville, *Bartleby, the Scrivener* (Serie bilingue).

186 Vercors, *Le silence de la mer* (Serie bilingue).

187 *«Una frase, un rigo appena». Racconti brevi e brevissimi*.

188 Queneau, *Zazie nel metró* (2ª ed).

189 Tournier, *Venerdí o il limbo del Pacifico*.

190 Viganò, *L'Agnese va a morire*.

191 Dostoevskij, *L'idiota* (2ª ed.).

192 Shakespeare, *I capolavori*. Volume primo.

193 Shakespeare, *I capolavori*. Volume secondo.

194 Allen, *Come si diventa nazisti* (2ª ed.).

195 Gramsci, *Vita attraverso le lettere* (2ª ed.).

196 Gogol', *Le anime morte*.

197 Wright, *Ragazzo negro* (2ª ed.).

198 Maupassant, *Racconti del crimine*.

199 *Lettere di condannati a morte della Resistenza italiana* (2ª ed.).

200 Mila, *Brahms e Wagner*.

201 Renard, *Pel di Carota* (2ª ed.).

202 Beccaria, *Dei delitti e delle pene*.

203 Levi (Primo), *Il sistema periodico*.

204 Ginzburg (Natalia), *La famiglia Manzoni*.

205 Paumgartner, *Mozart*.

206 Adorno, *Minima moralia*.

207 Zola, *Germinale*.

208 Kieślowski-Piesiewicz, *Decalogo*.

209 Beauvoir (de), *Memorie d'una ragazza perbene*.

210 Leopardi, *Memorie e pensieri d'amore*.

211 McEwan, *Il giardino di cemento* (2ª ed.).

212 Pavese, *Racconti* (2ª ed.).

213 Sanvitale, *Madre e figlia*.

214 Jovine, *Le terre del Sacramento*.

215 Ben Jelloun, *Giorno di silenzio a Tangeri* (2ª ed.).

216 Volponi, *Il pianeta irritabile*.

217 Hayes, *La ragazza della Via Flaminia*.

218 Malamud, *Il commesso*.

219 Defoe, *Fortune e sfortune della famosa Moll Flanders*.

220 Böll, *Foto di gruppo con signora*.

221 Biamonti, *Vento largo*.

222 Lovecraft, *L'orrendo richiamo*.

223 Malerba, *Storiette e Storiette tascabili*.

224 Mainardi, *Lo zoo aperto*.

225 Verne, *Il giro del mondo in ottanta giorni*.

226 Mastronardi, *Il maestro di Vigevano*.

227 Vargas Llosa, *La zia Julia e lo scribacchino*.

228 Rousseau, *Il contratto sociale*.

229 Mark Twain, *Le avventure di Tom Sawyer*.

230 Jung, *Il problema dell'inconscio nella psicologia moderna*.

231 Mancinelli, *Il fantasma di Mozart e altri racconti*.

232 West, *Il giorno della locusta*.

233 Mark Twain, *Le avventure di Huckleberry Finn*.

234 Lodoli, *I principianti*.

235 Voltaire, *Il secolo di Luigi XIV*.

236 Thompson, *La civiltà Maja*.

237 Tolstoj, *I quattro libri di lettura*.

238 Morante, *Menzogna e sortilegio*.

239 Wittkower, *Principi architettonici nell'età dell'Umanesimo*.

240 Somerset Maugham, *Storie di spionaggio e di finzioni*.

241 *Fiabe africane*.

242 Pasolini, *Vita attraverso le lettere*.

243 Romano, *La penombra che abbiamo attraversato*.

244 Della Casa, *Galateo*.

245 Byatt, *Possessione. Una storia romantica*.

246 Strassburg, *Tristano*.

247 Ben Jelloun, *A occhi bassi*.

248 Morante, *Lo scialle andaluso*.

249 Pirandello, *Uno, nessuno e centomila*.

250 Soriano, *Un'ombra ben presto sarai.*

251 McEwan, *Cani neri.*

252 Cerami, *Un borghese piccolo piccolo.*

253 Morante, *Il mondo salvato dai ragazzini e altri poemi.*

254 Fallada, *Ognuno muore solo.*

255 Beauvoir (de), *L'età forte.*

256 Alighieri, *Rime.*

257 Macchia, *Il mito di Parigi. Saggi e motivi francesi.*